D0300360

Dalida

Du même auteur

POÉSIE

Éphélides, 1990, Éditions du Trèfle à 5 Feuilles

Cœurs Diplomatiques, 1992, Éditions du Trèfle à 5 Feuilles

Couleurs Marines, 2000, Les Presses Littéraires

RÉCIT BIOGRAPHIQUE

Dans l'Ombre de mes Chansons, 1996,
Éditions Les Chemins de l'Espérance

PHILOSOPHIE

La Putain du Diable, 1998, Les Presses Littéraires

LIVRET POUR PRELUDES

D'heures en Heurts, 1999, Éditions Musicales Amsterdam

***

Collaboratrice à la REVUE INDEPENDANTE
(rubrique chanson francophone)

A animé pendant treize ans, une émission hebdomadaire
(sur une radio FM parisienne)

ISALINE

Dalida

Entre violon et amour

Publibook

Retrouvez notre catalogue sur le site des Éditions Publibook :

http://www.publibook.com

Éditions Publibook
14, rue des Volontaires
75015 PARIS – France
Tél. : +33 (0)1 53 69 65 55

IDDN : FR.010.0098263.000.R.P.2002.035.40000

Cet ouvrage a fait l'objet d'une première publication aux Éditions Publibook en 2002

"Au fil des années, les cicatrices font aussi mal que les blessures."

Marlène Dietrich

Au bout de la rue Rachel, le grand portail du cimetière semble ouvrir son jardin vers un havre de paix pourtant inquiétant. La plaque des heures de visites indique sa fermeture à dix-sept heures trente – c'est l'hiver – , il ne me reste plus que vingt minutes… J'entre, deux gardiens qui s'ennuient manifestement me regardent ; l'un deux me dit « *on ferme bientôt* », j'acquiesce d'un signe de tête mais en réalité je ne lui prête pas attention, ma pensée est déjà ailleurs.

Mes pas crissent sur les gravillons puis j'emprunte les quelques marches qui me conduisent jusqu'à l'allée de la 1ère Division. Au passage, je me recueille un instant seulement, sur la tombe du poète Philippe Soupault, un marbre gris, simple, sans fleur, un seul nom, le sien. Mais aujourd'hui, je ne suis pas venue dialoguer avec mon poète…

Je poursuis mon chemin et mes pas sont freinés par une légère côte pavée qui me fait buter et zigzaguer. J'observe, de droite et de gauche, des monuments aux pierres noires et rongées, angoissantes, tandis que ma respiration s'accélère. J'arrive devant cette tombe, cette tombe que je redoute pour sa vérité ; je sens le sol se dérober sous mes pieds et le vertige m'envahit. Impossible de croire à cette vérité évidente, impossible d'accepter.

Pourtant, une vieille femme, petite, frêle et vêtue de noir, est là, les yeux rivés sur un chapitre d'une Bible ouverte : elle prie La Madone du Show Business. Je m'écarte par respect et frissonne à l'idée que le message passe, peut-être directement, dans cet autre monde qu'elle a choisi.

Je suis venue, moi aussi, comme des milliers de pèlerins, à la rencontre d'un supplément d'âme et quelle âme !

DE " LA VILLE DES VIVANTS "
A CHOUBRAH 1933

Quand on naît en Égypte, on ne peut pas être tout à fait comme les autres car les flots sombres du Nil firent de ce pays pauvre le berceau de notre civilisation, il y a cinquante siècles, où se succédèrent les Pharaons, les Anciens Grecs et les Romains. De cette terre marécageuse est née Le Caire, la première ville appelée "La Ville des Vivants". Aujourd'hui, l'Égypte est islamique et chrétienne.

Quand le khamsin se lève soudainement, les parfums des épices, sur les marchés, exhalent un sentiment de profondeur des temps passés, dans cette capitale tentaculaire, grouillante, bruyante mais dont ses habitants sont souriants, aimables et doux.

Trois ans après un frère prénommé Orlando, naît Yolanda, le 17 janvier 1933. Elle grandit dans un quartier populaire des faubourgs du Caire, situé au nord-ouest, appelé Choubrah, ici, où précisément le poète Gérard de Nerval s'était posé en 1851 pour écrire *Voyage en Orient*. Les parents, Giuseppina et Pietro sont issus d'une famille italienne émigrée de Calabre. L'aventure avait commencé en 1893 avec Giuseppe (le père de Pietro), cadet de cinq frères, qui était arrivé au Caire à l'âge de seize ans.

La naissance de Yolanda s'est faite avec beaucoup de difficultés, entre la vie et la mort. C'est la vie qui a basculé vers cette étonnante vitalité qui l'habitera toute sa vie mais toute sa vie aussi, elle ne sortira pas indemne de cette mise au monde. Plus tard, elle sera en droit de s'interroger sur ses fragilités émotives et sur sa peur permanente : " Cette peur, il se peut qu'elle provienne de notre naissance " ; ce sont les propres paroles de Dalida — dites pour l'illustration du film de Michel Dumoulin tourné en 1977 intitulé *Dalida pour toujours* — qui paraissent presque insignifiantes pour qui n'y prête pas une attention particulière. Pourtant, elle s'autoanalyse constamment (et nous y reviendrons souvent), ses paroles ne sont pas des paroles en l'air. Yolanda-Christina est venue au monde dans la souffrance. L'accouchement est un moment crucial pour les armes de la vie, il ne s'agit pas de faire sortir un être d'un monde pour un autre ; l'empreinte de la douleur se marque au fer rouge dans les nébuleuses du cerveau et elle se traduit par la peur, cette peur qui à tout jamais abîme une vie affective, cette peur constante de la souffrance ajoutée à la culpabilité d'être née et d'avoir déjà fait souffrir sa mère. Ainsi est fait l'humain, Dalida a raison !

Mais déjà, dans sa vie fœtale, Yolanda a perçu les notes d'un violon. Ces notes qui, en plus de ses dons, animeront la vie d'artiste de Dalida.

SYMPHONIES FANTASTIQUES

A cette époque, il y a peu de maisons et le calme est absolument nécessaire à Pietro Gigliotti, premier violon à l'Opéra du Caire. Yolanda suit son père aux répétitions, et, des coulisses où elle se dissimule, se met à entonner les airs d'opéra que lancent les barytons.

Le violon, cet instrument le plus difficile, le plus sensuel, le plus déchirant et davantage encore quand il est joué en solo, le plus émouvant aussi, n'a pas pu ne pas bouleverser la petite fille lorsque résonnait un air de Parsifal, ni ne pas toucher son âme.

L'artiste, quel qu'il soit, est un être fragile par excellence, naturellement sensible, aux humeurs incontrôlées ; tout passe par son art-passion. L'artiste n'est que l'instrument d'un don et grâce à celui-ci, il n'a pas le droit de se tromper, c'est justement cette certitude qui apparaît chez Yolanda.

La petite Yolanda grandit entre sa mère, Giuseppina, couturière, une femme douce et calme et ce père Pietro — de surcroît Calabrais d'origine — dont la profession ne laisse guère de temps aux câlins pour ses enfants. Il est trop tard, l'irrémédiable sentiment est déjà ancré en elle.

Yolanda vit dans ce constant balancement entre admiration et haine pour ce père qui ne lui témoigne aucune affection. Dalida recherchera toute sa vie dans ses rencontres amoureuses à retrouver l'image d'un père aimant. Elle le reconnaît : "Enfant, je n'aimais pas mon père, je le haïssais même, c'était la terreur du quartier, il criait sur le balcon ; cette haine était tellement proche de l'amour que c'était plus que l'amour lui-même ; et puis je me suis rendu compte que mes colères à moi, c'est un peu de ses colères à lui, j'ai hérité de son caractère un peu violent… " Dalida sait qu'elle est en quelque sorte le double de son père. Dans son for intérieur, elle ressentait comme un devoir de l'égaler, voire même, de le dépasser par la notoriété et la reconnaissance de son propre talent. La lucidité implacable de Dalida était effrayante et quand elle faisait des erreurs, elle le savait ! Il n'est nul besoin de voir pour sentir ces choses-là…

LE REGARD EST LA FENÊTRE DE L'ÂME…

Si l'on dit que le regard est la fenêtre de l'âme, Yolanda va vivre à l'âge de dix mois, une calamité effroyable. Ses yeux se sont infectés soudainement. Au début cela n'effraie pas trop son entourage qui diagnostique une ophtalmie, fréquente au pays, et de toute façon que l'on peut guérir. Par précaution, le médecin, appelé au chevet de l'enfant, emploie les grands moyens : pense qu'il va bander les yeux de la toute petite fille durant quarante jours ! Une quarantaine qui devrait la guérir radicalement.

Le bébé arrache le bandeau qui le prive de la lumière comme une brimade. On le lui remet et les petites mains irresponsables vont être liées. Prisonnière, l'enfant hurle. Pietro et Giuseppina sont désespérés mais il faut obéir, c'est pour son bien pensent-ils, comme tous les parents attentifs.

A bout de souffle, l'enfant abdique et obéit. C'est la découverte de la solitude, que seuls viennent briser le chant du violon et les mélodies que lui fredonne sa mère. Son ouïe et son odorat se développent mais quand le jour reviendra-t-il ?

Au quarantième jour, le bandeau enfin défait offre une scène des plus déprimantes aux parents de Yolanda : l'infection a gagné le nerf optique et a provoqué un strabisme convergent. C'est un déchirement pour Pietro qui traite haut et fort de criminel, comme il se doit, le soi-disant médecin : une violente pulsion, si elle n'était pas contrôlée, conduirait bien le père à tuer le charlatan.

La lumière, trop vive, devient vite insupportable à Yolanda mais au bout de quelques jours, un œil reprend sa place, tandis que l'autre ne bouge plus. Cette modification fait place à de violents maux de tête que seule peut déceler une maman.

Ce n'est plus possible ! Les parents Gigliotti décident alors de consulter un médecin spécialiste. Ce dernier se montre optimiste quant à une guérison prochaine mais il va falloir opérer dans sept mois !

A l'âge de dix-huit mois, Yolanda subit donc une première intervention qui ne réussit pas entièrement. Mais une amélioration conduit les parents vers l'espoir. Pourtant les névralgies crâniennes reviennent et l'œil malade, presque guéri, ne tient plus sa place dans les moments de fatigue extrême. Il faut rééduquer mais comme il doit être difficile de faire comprendre à un tout petit qu'il faut faire " travailler ses yeux ".

Lorsque Yolanda atteindra sa quatrième année, il faudra renouveler l'intervention. Désormais la perception visuelle de Yolanda s'améliore mais il faut reprendre la rééducation à laquelle elle va se prêter, comme si elle savait déjà que la partie était gagnée. C'est déjà dans son caractère de battante. De plus la petite fille ne supportera pas le regard des autres posé sur elle. Un peu plus tard à l'école, on ne manquera pas de l'appeler " quatz'yeux ".

Yolanda doit porter de grosses lunettes qu'elle ôte souvent comme le bandeau de sa première privation de lumière ; il n'y a rien à faire, un jour, dans un excès de colère, elle les jettera par la fenêtre...

ELLE ÉTAIT UNE " FOI " L'ÉCOLE

A Choubrah, une institution religieuse italienne, les franciscaines de Maria Ausiliatrice, accueille Yolanda qui y restera tout au long de sa prime jeunesse. Le regard tourné vers une madone réfugiée au creux d'une petite grotte. La jeune élève marque beaucoup d'attention et de sérieux pour l'Histoire Sainte. Toutefois, la quarantaine venue, Dalida fera cette remarque : " Il y avait beaucoup trop de religion, je ne suis pas contre mais je pense que certains tabous, certaines non-libertés, finissent par créer des espèces de traumatismes de certains complexes de culpabilité pour des choses tout à fait naturelles, qu'on ne devrait absolument pas avoir ; et je dois dire, que mon enfance, de ce côté là, ça fait mal, en ce qui me concerne ma personnalité, parce qu'ils m'ont culpabilisée sur beaucoup de choses que j'ai dû, après, me libérer de tout ça et c'est pas facile. " Ses interrogations et sa curiosité à propos de toutes choses suivront encore Dalida lorsqu'elle commencera dans sa quête de spiritualité et de connaissance.

Yolanda est née sous le signe du capricorne qui symbolise la terre, le secret, la fatalité. Ce signe se caractérise surtout par le goût du mystère et de la contemplation. Le sentiment d'inquiétude lui fait regarder sans cesse vers l'intérieur de lui-même. Fasciné par le dedans des choses, le capricorne aime à explorer les abîmes. Sa grande intelligence l'incline à la méditation, ce qui l'éloigne des reflets du monde sans pour autant l'empêcher de garder les pieds sur terre. Avec persévérance et ténacité, il veut tout savoir, interroge tout, recherche la vérité essentielle, le reste l'ennuie. La carrière de Dalida le démontrera.

Un bonheur vient égayer la petite famille : Giuseppina donne le jour à un troisième enfant, un garçon prénommé Bruno. La différence d'âge entre Bruno et Yolanda, bien que cette dernière eût marqué sa désapprobation lors de cette naissance, fera de la grande sœur une seconde mère protectrice. C'est peut-être cela qui a rapproché Bruno de sa sœur, cette grande affectivité, ce bel amour pur dont il se souviendra quand il se mettra totalement au service de sa carrière. Yolanda et Bruno ne se quitteront jamais. Plus tard, Dalida et Bruno devenu Orlando marcheront ensemble jusqu'au bout de leur rêve.

L'Égypte de 1940 est conduite par le roi Farouk sous protectorat anglais. La guerre éclate. Pietro est interné en plein désert dans un camp situé à proximité du Caire. Giuseppina, quant à elle, suit le règlement qui l'autorise à apporter, une fois par mois, quelques affaires à son mari ; parfois, elle est accompagnée de ses enfants.

C'est le vide à la maison, le noir qui revient. Pourquoi cette injustice ? Pietro n'a rien fait d'autre qu'être Italien de souche. Sa seule arme, un violon, le gagne-pain de la famille, est restée à la maison dans son étui. Silencieuse pour longtemps.

Tous les hommes sont partis et les femmes se regroupent avec les enfants. Aidée par sa sœur, Giuseppina confectionne des barboteuses pour *Circurel.* Il faut vivre, il faut survivre…

Le jour tant attendu est arrivé, les Italiens sont tous libérés entre 1943 et 1944 mais les jours sombres ont laissé Pietro dans un état psychologique déplorable : il lui est impossible d'oublier, il est brisé. Jamais la carrière d'un artiste ne devrait s'arrêter, même momentanément.

De jour en jour, le caractère de Pietro tourne en cascades colériques ; il ne supporte plus rien, ni sa vie, ni son entourage, il s'étiole : l'ex-premier violon de l'Opéra du Caire doit se contenter d'un travail d'accompagnateur dans des endroits moins prestigieux qu'il abhorre. Il est amaigri et morose, il ne sera plus jamais comme avant. Deux ans après sa libération, Pietro meurt d'une congestion cérébrale dans sa quarante et unième année. Yolanda devient orpheline de père à l'âge de douze ans. La fêlure restera à jamais présente dans le cœur de Dalida.

Le temps file et les enfants grandissent autour de leur mère. Entourée par ses deux frères, Orlando l'aîné et Bruno le cadet, Yolanda aime les jeux masculins mais a-t-elle le choix ? Elle enfourche le vélo des garçons et se fait accepter par le clan dit du sexe fort. Elle semble y trouver un confort, une compréhension, loin des regards suspicieux et méchants. Son état de fille ne la gêne absolument pas pour ses activités. Elle vit une vraie passion pour le football : sur le terrain elle se révèle un " bon élément " et sait se faire respecter. Aux poupées offertes elle préfère les soldats ; les batailles l'intéressent pour gagner mais ne l'ont-elles pas toujours intéressée ? Au grand désespoir de Giuseppina, Yolanda lui revient toute gaillarde, échevelée, moite et ses vêtements ont pris la couleur de la terre battue.

Si le grand frère est présent, c'est toujours de Bruno que Yolanda se rapproche, le petit l'admire déjà et ô combien ! Cela est vrai encore aujourd'hui avec l'absence qui grandit le manque : " Depuis mon jeune âge, je voulais m'occuper de Dalida qui a été ma grande joie et ma fierté. Mon rêve a été réalisé et je le ferai jusqu'à la fin de ma vie. "*. Oui, dès l'enfance, c'était pour toujours !

---

* Déclaration du 30 avril 2000 — réunion de l'Association Dalida au FIAP Jean Monnet à Paris.

DE SCÈNES EN SEINE

Les chansons à succès, françaises et italiennes, diffusées sur les ondes, font le bonheur de Yolanda et de Bruno, c'est peut-être parce qu'elles atténuent le vide laissé par la disparition du père.

Yolanda, fascinée par la scène, a le désir d'un public et pour la première fois, elle va monter sur les planches, dans son école, pour jouer un mélodrame d'inspiration biblique *Lumière et Ténèbres*. Yolanda obtient le premier rôle, celui d'une mère qui se sacrifie pour le bonheur de sa fille... Premiers pas en qualité de comédienne à seize ans, c'est aussi un déclic pour une vie nouvelle.

Tandis que la nostalgie effleure la plume, l'année 1986 a bel et bien replongé Dalida dans cet univers du départ, dans le *Sixième Jour*, où elle incarne une grand-mère qui se sacrifie pour son petit fils ! — Derniers pas en qualité de comédienne.

La boucle est bouclée avec la même histoire de fond ! A deux générations d'intervalle, quelle coïncidence ! Comment ne pas s'étonner de cette étrangeté ?

Yolanda très vite va prendre conscience de son désir de jouer au cinéma. Cette révélation se fera auprès de son oncle Eugenio qui est projectionniste. Elle est fascinée par le cinéma américain, Hollywood et ses stars comme Ava Gardner, Lauren Bacall, Cyd Charisse... Et sa préférée, Rita Hayworth à laquelle elle s'identifiera.

Mais comment concrétiser un rêve d'adolescente au cœur de Choubrah, comment percer le carcan familial ? Que dit le miroir à ce moment-là ? Il dit : " Tu dois être la plus belle du royaume. " Yolanda le sera quand, à dix-sept ans, elle se présentera au concours pour la promotion de nouveaux maillots de bains. Comme cela est osé ! Cependant elle sait qu'elle n'a pas le choix, il faut saisir la chance qui passe (elle disait : " La chance, il faut la reconnaître. "). Elle se présente donc en cachette espérant quand même recevoir au moins un petit cadeau matériel, ce sera toujours ça et de toute façon, c'est une épreuve positive par laquelle elle veut se prouver quelque chose.

Les " clic-clac " des appareils photo des journalistes, Yolanda avait pensé à tout, sauf à cela. D'autant qu'elle vient de remporter le deuxième prix doté d'une paire de chaussures à talons ! Tout va trop vite, le pas est fait, l'étau se referme soudain sur elle, l'angoisse s'installe : on va la reconnaître !

A chaque jour suffit sa peine dit-on. Giuseppina, grande lectrice de journaux, découvre avec stupeur et effroi une photo en noir et blanc de sa fille en tenue " décadente ". Quel choc ! Tout le quartier a lu l'article consacré aux Ondines et il y a une fille de chez eux, de Choubrah ! Inutile de dire en ces circonstances que le " téléphone arabe " a bien fonctionné.

Cette décision hâtive et instinctive de Yolanda, entraînée par une amie, va peser lourd dans la balance familiale, il y a ceux qui en sont fiers et ceux qui pensent que si cette petite n'est pas surveillée de plus près, elle pourrait dériver.

A ce moment-là, Yolanda, prise dans le tourbillon, a-t-elle vraiment été consciente qu'elle était déjà en train de casser les tabous de son éducation, ou est-ce la passion qui l'a emportée sur la réflexion ? En tout cas, un profond désir s'est installé à ce moment-là, celui de séduire. La souffrance lui avait appris le repli sur elle-même, les complexes à se cacher et se couper du monde. Elle a défilé par défi, comme si elle jouait sa vie à la roulette russe.

Maintenant que Yolanda s'est dépassée, elle est en droit de dire ou de penser : " Regardez-moi bien maintenant, je suis belle et le serai toujours. "

A cette époque, même en France, rares étaient les jeunes filles qui osaient " se délurer " ainsi. Décidément

Yolanda était en avance sur son temps. Cela se confirmera tout au long de sa carrière et de sa vie personnelle.

Il faut pousser le défi encore plus loin, être la première ! Trois ans après, à l'âge de vingt ans, Yolanda récidive, sûre d'elle : elle concourt pour Miss Égypte. Elle est élue. C'est gagné !

Entre-temps, se sont succédées des petites amourettes, des petites histoires sentimentales faciles, sans lendemain, rien de vraiment sérieux. Un petit travail de sténodactylo. A côté de tout cela, ce qui lui paraît le plus sérieux, c'est une carrière à construire…

Trois personnalités du monde du cinéma ont repéré la jeune Yolanda durant le défilé. Un américain, lui propose d'être la doublure de Rita Hayworth dans *Joseph et ses Frères* qui prendra comme titre par la suite *Terre des Pharaons* (rôle qui sera repris par Joan Collins), Yolanda aurait pour partenaire masculin Omar Sharif. Le Français Marc de Gastyne lui offre un rôle où elle pourra jouer et danser dans *le Masque de Touthankamon* avec Gil Vidal. Le troisième, " un local ", Niazi Mustapha, lui donne un vrai rôle dans *Un verre et une cigarette*, un film tourné en anglais.

Yolanda devient Dalila en référence à l'héroïne biblique incarnée par Hedy Lamarr et dont elle a de faux-airs. Dalila devient également et accessoirement mannequin pour Donna, une maison de haute couture.

La jeune Dalila se voit proposer un contrat de cinq ans qui pourrait la propulser vedette du cinéma égyptien. Elle refuse puisque son ambition c'est la France, c'est Paris !

Un ami de la famille, un certain Colonel Vidal, en retraite, lui offre le voyage, Le Caire — Paris, aller-retour. En compensation, il se propose de devenir son agent, mais que connaissent les militaires de carrière au cinéma ? Elle part donc sécurisée avec son peu d'économies et deux adresses précieuses, celles du Colonel Vidal et de Monsieur et Madame Marc de Gastyne qui viennent l'accueillir à son arrivée.

Le 24 décembre 1954, elle atterrit sur le sol français avec la rage de réussir qui a dépassé les sentiments. Après bien des conciliabules, des déchirements, Dalila a laissé derrière elle Yolanda...

LE SABLE DEVIENT NEIGE

Arrivée à l'aéroport du Bourget, Dalila découvre un Paris virginal : les cartes postales ne mentent pas, la neige a bien recouvert les Champs-Élysées de son manteau de coton !

C'est au 67 de la rue de Ponthieu que Dalila emménage dans une mansarde située au huitième étage. L'immeuble appartient au Colonel Vidal, c'est une aubaine. Ne possédant rien d'autre que quelques effets personnels, Dalila est très vite installée.

Maintenant, il faut se présenter auprès des producteurs et passer des auditions. Le Colonel de son côté, un peu dispersé, ne lui a pas encore décroché de premier contrat... Mais il aide Dalila, financièrement, dans sa vie au quotidien et elle le remboursera, plus tard, lorsqu'elle aura un engagement — une avance sur recettes en quelque sorte — .

Comment Dalila avec ses références de "Miss Égypte " et " Miss Ondine " peut-elle intéresser les agences de casting aux listes déjà bien remplies ?

Le Colonel Vidal réduit ses largesses et sa relation avec Dalila devient de plus en plus houleuse : d'un côté il y a un homme " vieille France " et de l'autre, une toute jeune femme volcanique et d'avant garde ! Le fossé se creuse indubitablement.

Un jour, Dalila fait la connaissance de Roland Berger, professeur de chant réputé. Il a remarqué son timbre et son accent et l'incite à se lancer dans la chanson. Mais question cinéma, il faudra tourner la page... Dalila accepte d'entrée de jeu, après tout, elle n'a vraiment rien à perdre.

Les chansons de 1955 sont portées par Édith Piaf, Lucienne, Delyle, Jacqueline François et bien d'autres encore, c'est la chanson réaliste qui prend le devant de la scène. Cependant, le courant est en train de changer : une voix espagnole, celle d'une Madrilène, plaît beaucoup aux Français. Il y a là une vraie chance à saisir et c'est ainsi que Roland Berger et Dalila décident de travailler ensemble. " Étrangère au Paradis ", un titre emprunté justement à la dernière vedette en vogue : Gloria Lasso.

La chance sourit à Dalila : on lui propose un contrat en lever de rideau au *Drap d'Or* puis elle est engagée à la *Villa d'Este* où elle partage l'affiche avec Charles Aznavour. Mais elle vit cela comme une ingratitude, car Dalila doit " mettre de l'ambiance " et faire patienter le public qui dîne avant d'écouter la vedette du jour. Le bruit des couverts ne la perturbe pas, Dalila ne pense plus qu'à la chanson.

Dalila déménage et s'installe rue Jean Mermoz, un peu plus loin. Si sa mansarde est encore plus petite qu'importe, c'est cela le prix de la liberté.

La persévérance finit toujours par payer : Dalila tourne deux films de série B et des " policiers " qu'elle voudra gommer de sa mémoire ; ces films ne sont pas à la hauteur de ses ambitions mais le choix financier ôte toute réflexion.

Le voisin de palier de Dalila est acteur, il en est au même point qu'elle. Il s'appelle Alain Delon. Ils deviennent de plus en plus loquaces et se lient d'amitié.
C'est une chance pour eux deux de pouvoir partager les rêves qui peuvent, qui doivent, devenir réalité. Cette amitié-là ne se démentira jamais, personne ne peut oublier le chagrin d'Alain Delon en 1987. Jamais cet homme n'a joué la comédie s'agissant des sentiments vrais. La sensibilité et l'amour ne s'apprennent pas ; elle dira de lui, quelque trente années plus tard : " Alain est quelqu'un que je connais bien, depuis les premiers jours où je suis arrivée

en France. Il n'était pas le Alain Delon d'aujourd'hui et je n'étais pas non plus ce que je suis ! Seulement deux débutants que personne ne connaissait et qui habitaient dans le même petit hôtel, rue Jean Mermoz, à Paris, je crois bien qu'il existe toujours ! Alain et moi nous nous croisions dans les couloirs. On s'embrassait, on se demandait si ça marchait. Je savais qu'il voulait faire du cinéma, il savait que je voulais chanter. Et voilà. Un jour, chacun a quitté l'hôtel pour suivre son chemin. Maintenant, on se rencontre de temps en temps mais c'est rare. Alain est un être merveilleux. Il a un sens de l'amitié extraordinaire. Je l'aime beaucoup. On a l'impression qu'il est dur, qu'il est fermé mais c'est une défense, parce que, au fond, c'est quelqu'un de très tendre… " En octobre 2000, pour le journal *le Vrai*, Alain Delon interviewé par Karl Zéro dira : " On m'a fiancé avec la terre entière. Ça a commencé par Dalida. On a eu des rapports tout à fait respectueux, amicaux. J'avais une passion pour elle. On a habité ensemble, mais dans deux chambres séparées hein, à l'hôtel Jean Mermoz, dans les années 57-58. Je l'ai retrouvée plus tard en Italie et puis on a fait cette chanson " Paroles, paroles "… C'est quelqu'un que j'ai beaucoup aimé, mais ça n'a jamais été ma maîtresse, parce que ça ne s'est pas trouvé, disons. " La franchise de M. Delon, avec ses mots directs, faisait justement partie de ce qu'aimait Dalida

Dalila chante bien, sa voix n'est pas dépourvue de puissance et elle le sait. De plus, elle adore chanter cela fait partie intégrante d'elle-même. Elle décide de choisir définitivement cette voie. Elle fait bientôt la connaissance de l'écrivain Alfred Machard, un ami de M. et Mme Marc de Gastyne. Un jour, l'homme de lettres lui conseille de remplacer la lettre " l " de la dernière syllabe par un " d " comme Dieu le père, ce qui donne Dalida, constituant ainsi un palindrome, fruit du hasard représentant bien sa personnalité paradoxale.

LE JEU DU DESTIN

Dalida est née, les médias commencent à parler d'elle, la revue *Cinémonde* lui consacre une couverture aux côtés de Gil Vidal, pour son rôle dans *le Masque de Toutankhamon*, les prestations cinématographiques précédentes refont surface, une petite notoriété est en train de poindre.

Dalida veut compléter maintenant son métier de chanteuse par l'enregistrement d'un disque. Elle frappe aux portes : chez Pathé-Marconi ou chez Odéon, son accent ne fait pas encore l'unanimité, c'est trop tôt. Avec Roland Berger, Dalida a l'impression de piétiner et après plusieurs portes claquées, elle met un terme à cette collaboration.

Un soir, à la Villa d'Este, Dalida est remarquée par Bruno Coquatrix, qui " traîne " partout. C'est le directeur de l'Olympia célèbre et nouveau music-hall. Il y organise tous les lundis un radio-crochet afin de découvrir les nouveaux talents pour les besoins d'une émission de radio diffusée en duplex. Après son tour de chant, ce dernier rend visite à Dalida dans sa loge et lui remet sa carte en lui disant : " Passez me voir demain après midi à l'Olympia, j'aimerais vous auditionner pour — Les numéros 1 de demain. " Dalida a le sentiment que la chance est au rendez-vous.

Tout va commencer…

Ce jour-là, sont présents trois hommes vivant pour la même passion exclusive : la chanson. L'instigateur de ce radio-crochet n'est autre que Bruno Coquatrix, patron de l'Olympia où se déroulent les auditions, c'est un homme à la stature imposante, marqué d'une bonhomie naturelle. Durant trois années il a monté des spectacles de théâtre et d'opérette à la Comédie Caumartin. Ensuite, il a acheté l'Olympia, ancien cinéma de mille huit cents places, pour en faire un grand music-hall. Le deuxième personnage est un parisien de souche, il s'appelle Édouard Ruault plus connu sous le pseudonyme de Eddie Barclay. Celui-ci n'a eu pour seule école que le café de son père, près de la gare de Lyon, il est musicien dans l'âme, autodidacte surdoué et à l'âge de vingt-quatre ans, il a déjà créé son propre orchestre. Eddie est ambitieux, il prend l'engagement d'imposer en France le microsillon dont il a acquis la licence aux États-Unis, c'est dire si ses idées sont d'avant-garde ! Il va apporter beaucoup d'emplois sur le marché du travail, des firmes de fabrication vont se développer très vite et le génie de cet homme est à saluer. Quant au troisième homme si svelte et discret à souhait, c'est Lucien Morisse, il a vingt-sept ans et déjà dix ans de radio, il est d'origine polonaise et plutôt timide. Depuis un an, Lucien Morisse est patron d'une petite station, il envisage de créer une grande radio, il lui faut donc des vedettes.

Auparavant les trois amis avaient joué et parié au 421 pour savoir, si oui ou non, ils iraient à l'audition ensemble, apparemment pas très " emballés "... Le jeu décidera : ils s'y rendront.

Lucien Morisse auditionne Dalida parmi vingt-cinq candidats. Il reste coi en entendant cette voix au timbre si particulier, passant avec aisance du grave à l'aigu. Eddie Barclay et Lucien Morisse sont sûrs d'avoir découvert en Dalida une future star et une voix nouvelle qui saisit d'emblée. Lucien quant à lui est " piégé ", il est envoûté et pas seulement par la voix de la chanteuse...

Dalida n'a pas de répertoire, pas de technique, pas de robes de scène, elle n'a rien mais elle a déjà tout !

Lucien Morisse donne rendez-vous à Dalida pour le lendemain au Studio d'Europe N° 1. C'est a capella qu'elle interprète la chanson d'Amalia Rodriguez " Barco Negro " en s'accompagnant de percussions qui ne sont autres que ses mains tapant sur le bureau. Lucien est enchanté. Il décide alors de prendre en charge la carrière de Dalida pour en faire une grande vedette.

Tout va si vite pour Dalida, elle enregistre en août 1956 un premier 45 tours, " Madona ", qui n'est autre que la réplique en version française de " Barco Negro " et qui ne rencontrera pas le succès escompté. Mais la chanteuse sait qu'elle a trouvé, avec Bruno, Eddie et Lucien, le tiercé gagnant…

CONTE DE FÉES

C'est bien évidemment le label Barclay qui monte au créneau, avec une Dalida au répertoire hispanisant. Gloria Lasso, c'est légitime, voit d'un mauvais œil cette nouvelle recrue, cette étrangère qui lui a " volé " son paradis. Devant ce dilemme, Lucien Morisse fait enregistrer à Dalida un second titre " Le Torrent " mais le public, encore réticent, garde une certaine fidélité à Gloria Lasso.

Lucien Morisse, homme d'une intelligence et d'une intuition remarquables, sait qu'il faut vite trouver à Dalida un succès à la hauteur de son potentiel, une chanson bien personnelle créée sur mesure. A l'automne 1956, l'enregistrement de cette chanson est réalisé la nuit, en secret. En effet, Lucien Morisse a acquis les droits d'une chanson italienne empruntée au répertoire du chanteur Marino Marini et dont il a confié la traduction française au célèbre parolier Jacques Larue, la musique étant signée d'un certain Franciulli.

Dès novembre toutes les familles peuvent entendre, sur les ondes, la chanson qui suivra Dalida toute sa vie ! " Bambino " : c'est la première vraie naissance, l'unique enfant de Dalida qui va l'accompagner durant trente-quatre années ininterrompues. Encore aujourd'hui cette chanson est restée dans le cœur de chacun. Lucien Morisse avait prévu le succès, il l'obtient et " matraque " sur les ondes jusqu'à dix fois par jour ce tube (on ne disait pas ainsi à l'époque). Plusieurs centaines de milliers de disques se vendront dans le monde entier.

Durant toute une année, aucune perte de vitesse, la vedette est toujours autant aimée et il arrive ce qui doit arriver : Dalida, dite Mademoiselle Bambino, devient première artiste à obtenir un disque d'or (plus tard, elle confirmera l'exploit avec un disque de diamant…)

Dalida devient française à part entière, " propriété des Français ". Le conte de fées se poursuit à la scène comme à la ville. Lucien Morisse et Dalida s'éprennent d'un amour fait de glace et de soleil. Un Lucien discret, peu causant, un peu triste et toujours au bord de l'angoisse comme tous les Slaves, une Dalida volcanique, colérique, déterminée, rayonnante, bref un couple, aux caractères opposés et sûrement complémentaires, qui a en commun la volonté, la passion et l'ambition qui mènent à la réussite.

Le 45 tours produit par Eddie Barclay est composé de quatre chansons et c'est avec elles que Dalida part en province pour véritablement débuter sa carrière sur scène.

Lorsque Bruno Coquatrix demande à Dalida d'être sa " vedette américaine " pour l'Olympia 1957, naturellement elle accepte quand bien même son répertoire se limite à quelques chansons. C'est décidé, Dalida fera la première partie du spectacle de Georges Guétary. Cependant un problème vient se poser dans la programmation. En effet, Monsieur Guétary a lui aussi l'intention de chanter " Bambino " qu'il a mis à son répertoire ! Dalida refuse donc d'honorer le contrat proposé par Bruno Coquatrix au grand étonnement de ce dernier : jamais un artiste ne lui avait refusé une telle proposition ! Devant le caractère fort et obstiné de Dalida, Bruno Coquatrix s'incline et lui propose une autre date, en mars, avec un nouvel artiste, qui n'est autre que Charles Aznavour. L'ironie du sort et l'intuition mènent Dalida à son premier succès et c'est peut-être cela qui s'appelle la chance.

Vite, il faut maintenant trouver un deuxième succès à Dalida, Lucien s'y engage et y parvient. "Gondolier" va circuler jusqu'en Égypte. Dalida reviendra au Caire, trois ans après, elle constatera avec un bonheur immense qu'elle est, déjà là-bas, la fierté de tout un peuple, celui qui l'a vue naître.

En septembre Dalida passera en " vedette américaine ", de Gilbert Bécaud elle chante " Gondolier ". Les " 100 000 volts " de l'un et le tempérament volcanique de l'autre feront de ce programme un feu d'artifice.

Les choses s'enchaînent, les chansons suivantes sont décidées, retenues par Lucien Morisse qui en fait souvent l'adaptation, ces deux intelligences réunies portent le succès comme un drapeau.

De fil en aiguille, Dalida enregistre d'autres disques, ses admirateurs sont vraiment séduits avec " Gondolier ", " Buenas Noches Mi Amor ". Dalida a pris le pas sur Gloria Lasso qui enregistrera également cette dernière chanson et les comparaisons vont bon train. Dalida fait l'unanimité et on la surnomme " l'Orchidée noire ". Ses chansons sont reprises par Luis Mariano et Annie Cordy, ce qui est courant à cette époque, et si le public est habitué à ce genre de choses, c'est que le répertoire appartient à tous les chanteurs ; elle enregistre d'autres tubes : " Come Prima ", " Ciao Ciao Bambina ", " Romantica ". Elle revient aussi, cette même année, à sa passion d'origine, le cinéma, en tournant aux côtés d'Eddie Barclay et Fernand Sardou, *Brigade des mœurs*. L'année suivante, en 1958, elle enchaînera avec *Rapt au Deuxième Bureau* de Jean Stelli avec Franck Villard. Elle y interprétera deux chansons en plus de son rôle, de quoi être vraiment satisfaite.

EMBARQUEMENT IMMÉDIAT

Dalida est désormais une artiste confirmée. Une robe de velours rouge dessinée par Jean Dessés donnera d'elle une image inoubliable. Cette image à laquelle elle prend soin au quotidien et qui fait d'elle une femme extrêmement raffinée jusqu'au bout des ongles. Pour la première fois, Dalida chante en vedette à Bobino en octobre 1958, avec " Come Prima ". Son répertoire encore un peu " méditerranéen " comprend quinze chansons dont une reprise d'un succès de Gilbert Bécaud " Le jour ou la pluie viendra ", qu'elle avait enregistré initialement en allemand. La France chante, danse et s'enlace sur " Deux amoureux marchaient ".

Pour saluer sept millions de disques vendus, la profession lui décerne les " Bravos du Music Hall " , trophée que Dalida partage avec Yves Montand.

Côté vie privée pour Lucien et Dalida, c'est le grand amour. La presse parle des " éternels fiancés " car pour l'heure, le mariage n'est pas à l'ordre du jour, leurs occupations et engagements respectifs les empêchent de contracter toute alliance officielle.

Dalida chante à Madrid puis en Allemagne. Elle obtient l'Oscar de la chanson 1959, avec Tino Rossi.

Dalida se démarque, c'est une " idole des jeunes ", les juke-boxes chauffent, dérangent peut être. Un Fan Club s'est créé voici un an. En 1961 paraît le premier journal puis le Club change de nom, il devient " Les Amis de Dalida ". Plusieurs réunions s'organisent à Paris. Dalida ne manquera jamais un rendez-vous avec ses admirateurs. Le 27 août 1984 l'Association Dalida est déclarée au Journal Officiel. Aujourd'hui encore l'Association Dalida représente une force vive (une revue en couleur, des enregistrements audio avec chansons et interviews, des témoignages, une permanence téléphonique) et assure la réunion annuelle qui se perpétue. Un peu plus de sept cents fidèles sont toujours là et des jeunes, qui n'ont jamais connu Dalida, sont venus rejoindre les plus anciens. Ainsi quatre générations se côtoient en parfaite amitié et surtout en harmonie avec Dalida qui leur a montré un chemin magnifique. L'un des rares fans clubs qui fonctionnent aussi bien, longtemps après la disparition de l'artiste. Comment expliquer cette fascination ? Mais le charisme ne s'explique pas, il est ! Même si chaque être est unique et irremplaçable, Dalida possédait tous les qualificatifs qui faisaient d'elle une star à part entière : générosité, sociabilité, tolérance, patience, ténacité... Si elle se montrait parfois farouche, c'était une forme de protection. Ce qui dominait à travers cela ? C'était surtout le respect du public, comme si les choses s'étaient constituées d'elles-mêmes, mais les dits fans (bien que Dali n'aimât pas le mot fan préférant celui d'admirateur) ne sont pas toujours bien compris par ceux qui sont dépourvus de passion. Pour ceux qui railleraient les fans de Dalida, il faut rappeler que le monde de la littérature apprécie beaucoup la femme et l'artiste et que feu Monseigneur le Comte de Paris a déclaré : " Dalida c'est non seulement la France mais c'est aussi toute la francophonie. "

En 1960, Dalida et Lucien Morisse s'installent dans un duplex de la rue d'Ankara, dans le XVIe arrondissement. Le pygmalion et son égérie sont enfin réunis en un même lieu et le public attend l'annonce officielle de leur mariage.

RETOUR AUX SOURCES ANCESTRALES

L'Italie, Dalida va la séduire avec une chanson française. Lors d'une interview, elle dira : " Je me suis fait connaître en France avec une chanson italienne et c'est " Bambino " et je suis devenue vedette en Italie en chantant une chanson française " Les Gitans " ".

Dalida appartient, sans aucun doute, à ce public italien au caractère si entier. Désormais la chanteuse doit poursuivre une carrière à deux vitesses. Elle reçoit, l'Oscar de Radio Monte-Carlo décerné à la " vedette préférée des auditeurs " ainsi que le Grand Prix de la chanson italienne au Festival de San Remo pour " Romantica ".

L'année 1960 représente une année charnière : la carrière de Dalida connaît une accélération fulgurante, elle bloque les " hit-parades " avec parfois cinq chansons aux dix premières places du classement ; son style change avec une chanson un peu particulière " De t'aimer follement ", une adaptation américaine au rythme saccadé. Le jeune Johnny Hallyday reprend cette dernière chanson (qu'il remet au goût du jour dans le style rock'n roll). Un jour, Lucien Morisse, furieux, fera casser son disque en direct à l'antenne et le document sera même filmé. Malgré cela les interprètes yé-yé qui commencent à s'avancer sur le terrain de la chanson, en feront un tube.

Le cinéma est aussi au rendez-vous en cet été 1960. Dalida part tourner une comédie en Italie : le 7e Art tant espéré lui ouvre peut-être ses portes avec " Parlez-moi d'amour " de Giorgio Simonelli, où elle a pour partenaires Jacques Sernas et Raymond Bussières.

La même année, Dalida emmène la vague grecque à la suite de Melina Mercouri avec " Les enfants du Pirée ", cette chanson connaît un énorme succès.

Les galas à l'étranger se succèdent, Madrid, Berlin, l'acclament, elle initie l'Europe au cha cha cha avec " Itsi bisti petit bikini " qui devient la première vente de disques au monde devant toutes les stars de l'époque. La production Barclay devient la plus grande firme discographique en France, avec un label de confiance qui accueillera rapidement Aznavour, Ferrat, Brel, Ferré…

Désormais, Dalida, figure de proue, vogue de gala en gala avec des cachets conséquents. Ce qui devait arriver arriva, les États-Unis lui proposent un contrat de quinze ans mais Dalida refuse très nettement pour " convenances personnelles " mais surtout pour affirmer sa fidélité envers la France, premier pays qui en fait une vedette à part entière.

Le 8 avril 1961, Yolanda Gigliotti dite Dalida et Lucien Morisse convolent en justes noces à la Mairie du XVIe arrondissement. L'événement est retransmis en direct sur les ondes. Cette union, qui ressemble davantage à une entreprise, ne tiendra pas. C'est au Festival de Cannes, en juillet, que se présente sur son chemin de cœur, un artiste-peintre du nom de Jean Sobieski, il est polonais (lui aussi), il a vingt-quatre ans et très séduisant. C'est un véritable coup de foudre. Dalida quitte Lucien, après trois mois de mariage, pour vivre avec Jean à Neuilly dans la maison bourgeoise où il a son atelier.

Malgré les avertissements de son entourage, Dalida suit, comme d'habitude, ses intuitions. La France puritaine de l'époque s'interroge et son public est partagé mais Dalida ne croit qu'en l'amour, elle ne fera que cela toute sa vie…

La presse crache son venin et crie au scandale. Dalida calculera les risques plus tard dans sa vie amoureuse et comme le dit le dicton " amour quand tu nous tiens tu peux bien dire adieu prudence ! " Dalida vit dans son rêve, tout lui est indifférent sauf l'amour que lui porte cet homme entré dans sa vie comme un tourbillon. Elle a brûlé les étapes et part, comme un soldat qui part en guerre, pour une tournée qui débouchera sur l'Olympia le 6 décembre avec Richard Anthony en première partie, bien que Bruno Coquatrix lui ait demandé de renoncer. Il faut gagner mais la bataille sera rude.

SURFER SUR
" LA NOUVELLE VAGUE "

Le temps qui passe, c'est aussi la mode qui arrive, avec " La Nouvelle Vague " de Richard Anthony lui aussi né en Égypte. Les jeunes vont opter pour un autre répertoire, une dynamique dans laquelle ils se reconnaissent.

L'Olympia prend bientôt fin, Dalida s'y produit en vedette pour la première fois. Le soir de sa première, juste avant son entrée en scène, une mauvaise surprise l'attend : elle découvre dans sa loge une couronne mortuaire avec comme épitaphe : " A la chanteuse défunte, vive Édith Piaf ". Qui sont les instigateurs de cette odieuse cabale ? Le saura-t-on un jour ? Le métier, la presse mal intentionnée, qui veut mettre un terme à quatre années de rêve ? Mais ce soir-là, ne sera pas maudit pour Dalida qui veut ignorer toutes ces méchantes et mesquines intentions. Son trac tombe instantanément dès la quatrième chanson, intitulée " Je me sens vivre ", qui entre dans le cœur de chacun. Dalida met " ses tripes " sur la scène, Lucien Morisse se lève et toute la salle, bouleversée, le suit. La cabale est vaincue par une "haut de gamme classe ovation".

Pendant ce temps-là, sur Europe N° 1, la vague yé-yé a envahi les ondes. D'autres chanteuses font surface comme Sylvie Vartan, Sheila, Françoise Hardy etc. De plus, tous les interprètes sont jeunes, presque adolescents, et les jeunes se retrouvent à travers toutes ces chansons qui évoquent leurs problèmes. Le 45 tours est devenu un produit industriel à part entière. Dalida doit " surfer " sur cette déferlante et trouver vite une solution car elle n'a plus dix-huit ans mais onze de plus ! La stratégie est trouvée, Dalida s'adapte au courant du moment et ce sera elle qui donnera au public la " Leçon de twist ", ballerines aux pieds pour pivoter, avec Richard Anthony son " pendant " masculin.

Dalida sait qu'elle doit aussi changer son look, elle se maquille plus légèrement et comme c'est la mode des jupes au-dessus des genoux, elle la suit. Devançant Gloria Lasso et Édith Piaf, Dalida reçoit avec Charles Aznavour, l'Oscar de la Chanson 1961.

Dans les soirées, même mondaines, le twist déhanche la France entière, mais Dalida ne se sent pas à l'aise dans cette nouvelle version de la chanson, elle dira cinq ans plus tard : " Je n'aime pas cette Dalida. " Malgré tout, elle chante " Achète moi un juke-box " mais son répertoire de prédilection lui manque. Elle décide alors de mélanger les genres, une bonne façon d'être dans la mode tout en n'y étant pas.

1962 : année des retrouvailles, Dalida part en Italie du sud sur les traces de ses ancêtres à Serrastretta où elle y est reçue comme un chef d'État et faite citoyenne d'honneur. Voici un extrait du discours de bienvenue prononcé par le porte-parole de la ville : " Toute la Calabre et l'Italie parlent d'elle ! Dans les écoles, les bureaux, les lieux publics, les lieux de travail, les usines, les campagnes et les terrains de sport, tout le monde connaît Dalida, la plus grande des chanteuses, la Dalida Calabraise de Serrastretta ! "

La réponse de Dalida, profondément émue, fut courte : " Je n'oublierai jamais ces belles preuves d'amour. "

La même année, Dalida s'envole avec Jean Sobieski pour Saïgon où elle doit donner plusieurs galas mais cette tournée sera émaillée de complications : les autorités locales interrompent son spectacle lors de l'interprétation de " La leçon de Twist " ; en effet en cette période de guerre entre les États-Unis et le Vietnam, cette chanson est considérée comme un acte politique ! Cependant la chanteuse est idolâtrée, les rues sont bloquées sur son passage. Elle poursuit sa tournée au Vietnam puis ce sera Montréal.

En ce mois de décembre 1962, Dalida a trouvé, avec son compagnon, une maison qui domine la capitale, une construction massive de cinq étages, à Montmartre, au 11 bis rue d'Orchampt, un hôtel particulier qu'elle ne quittera jamais ; cette même maison avait été habitée par le docteur Louis Destouches dit Louis-Ferdinand Céline qui y rédigea plusieurs passages du *Voyage au bout de la nuit.* En 1987, le titre de ce magnifique ouvrage prendra des allures prémonitoires.

Dalida enregistre " Le Petit Gonzalès ". Son divorce d'avec Lucien Morisse est prononcé. Pour la vente de son disque 33 tours composé de dix chansons, elle obtient l'oscar de Radio Monte-Carlo avec Johnny Hallyday, c'est bien la preuve qu'elle a réussi à se fondre dans la mode yé-yé.

L'année 1963 sera également marquée par l'oscar Mondial du succès du disque. Sur cet élan, Dalida reprend les voyages. Elle s'arrête en Extrême-Orient pour y tourner une comédie où elle chante avec Serge Gainsbourg et Philippe Nicaud, dans *L'inconnu de Hong Kong* de Jacques Poitrenaud.

Dalida regagne Paris, c'est la rupture d'avec Jean Sobieski. Leurs vies respectives n'ont pas résisté aux contraintes de leurs professions. Parallèlement, elle apprend le remariage de Lucien Morisse. Les tournées reprennent : Portugal, Pologne, Allemagne, Algérie.

Le début de l'été 1963 va se révéler propice à Dalida, sur le plan sentimental et professionnel, par sa rencontre avec un aristocrate " racé " selon l'expression consacrée. Il s'agit de Christian de la Mazière au parcours singulier, que lui-même ne renie pas à travers un documentaire cinématographique, dont il est l'auteur : *Le Chagrin et la Pitié.* Là n'est pas la question et l'amour a ses raisons. Durant deux ans, Christian de la Mazière, en utilisant ses relations personnelles dans le monde de la presse, sera un incontestable soutien pour Dalida.

Le mois d'août est le temps des vacances pour Dalida et comme chaque année, elle fidélise Saint-Tropez.

UN ESPRIT " SPORT "
ET POPULAIRE

Dalida a vendu plus de dix millions de disques au monde, elle reçoit un disque de Platine et devient la première vedette féminine à obtenir cette récompense.

En cette année 1964, Dalida fait un tube avec " Amore Scusami ", cependant la mode des chanteurs méditerranéens est en train de perdre du terrain. Dalida part vers une autre direction, elle s'engage pour une démarche vraiment populaire avec Europe N° 1 : elle a été désignée pour être la vedette du Tour de France ; trois noms se détachent alors : Dalida, Anquetil, Poulidor, et les Français n'ont d'yeux que pour eux... Dalida sillonne la France telle une aventurière. Chaque jour, après la course elle est sur le podium. Dalida aura ainsi parcouru vingt-neuf mille trois cents kilomètres et chanté deux mille vingt-cinq chansons devant des parterres de cinquante mille personnes tandis que Jacques Anquetil gagnera la course, c'est un beau tandem.

Dalida chante à l'Olympia avec Claude Nougaro en première partie. Leurs répertoires sont si différents que cette collaboration paraît tout à fait inattendue. Pourtant les deux artistes s'entendent à merveille, leur point commun c'est l'amour pour la chanson. D'après l'institut de sondage l'IFOP, la vedette préférée des Français en 1965 c'est encore et toujours Dalida.

Le cinéma italien a proposé à Dalida un scénario *Ménage à l'Italienne* qu'elle tourne aux côtés de Ugo Tognazzi ; la musique du film a été composée par le célèbre Ennio Morricone. Mais si sa carrière cinématographique passe presque inaperçue aux yeux de son fidèle public, Dalida ne veut pas renoncer au 7e Art, sa vocation première.

Pieds nus et en tunique, Dalida fait son retour avec " Zorba ", une chanson méditerranéenne authentique. Un changement — sa couleur de cheveux s'oriente désormais vers un blond vénitien — annonce le début d'une lente métamorphose.

Plus confiante, Dalida décide de maintenir le cap. Elle s'entoure de sa famille qu'elle chérit et partage, avec elle, sa grande maison blanche. Sa cousine Rosy sera, durant vingt ans, son assistante bienveillante et surtout Orlando (Bruno) qui va lui offrir sa vie professionnelle en devenant son producteur.

Ainsi le microcosme de Choubrah est reconstitué. Le travail va porter ses fruits. Dans ce cocon, Dalida se sent bien, elle ne sort que pour ses obligations, à la fois chef d'entreprise et " ménagère " de sa maison. Elle veille à tout, que ce soit sur ses musiciens ou bien encore sur ses trois voitures et le camion rempli de matériel de sonorisation.

SAN REMO : " L'ABATTOIR "

Après avoir chanté à Casablanca avec Richard Anthony, Dalida se trouve en tête du palmarès italien en mai 1966. Elle est invitée par deux producteurs italiens à participer au festival de San Remo pour " défendre " un jeune auteur, compositeur, interprète du nom de Luigi Tenco. Tous deux interpréteront la même chanson " Ciao amore, ciao " composée par le chanteur. Le jury du festival procédera par élimination : le palmarès final sera proclamé avec le dernier candidat en lice. D'emblée, Dalida refuse, elle considère cela comme une injustice mais elle n'est pas hostile à une rencontre courtoise avec Luigi Tenco, en octobre.

Luigi est un jeune homme de vingt-huit ans, au regard ténébreux, il écrit des chansons dites engagées dont la musique folk fait de lui un chanteur peu ordinaire. Il n'est pas question pour lui de changer d'identité en suivant les modes, il est intransigeant et un peu trop sûr de lui.

Entre temps, Dalida partage les " Bravos du music-hall " avec Salvatore Adamo.

Le 25 janvier 1967 Luigi Tenco se présente au Festival de San Remo accompagné par sa marraine qui a fini par accepter le challenge. Leur rencontre a fait naître une telle communion, entre Dalida et Luigi, que les sentiments s'y sont mêlés, construisant une grande histoire d'amour ; leur mariage est même décidé, pour avril prochain, sous le sceau du secret. Ils feront équipe comme tous les autres candidats.

Arrive le jour J. En ce vendredi 28 janvier Luigi Tenco interprète la chanson puis c'est le tour de Dalida. Tenco envahi par le trac, peu à peu, perd ses moyens, face au public. Le jury sera sans appel avec ce garçon, d'autant que Dalida, quant à elle, est ovationnée comme à l'habitude. L'écart est immense, le public n'a d'yeux que pour elle !

A une heure du matin, le verdict tombe, l'équipe est éliminée, elle n'ira pas en finale. Le festival se prolonge la nuit à l'issue d'un souper auquel Tenco ne se rendra pas et que Dalida quitte brutalement pour aller le rejoindre à son hôtel.

La police est là, à l'hôtel Savoy, où ont été regroupés tous les chanteurs. La presse est déjà sur place. Luigi Tenco s'est donné la mort d'une balle dans la tête. A côté de lui, on découvre une lettre dénonçant le choix du jury en ces termes : " J'ai aimé le public italien et je lui ai consacré cinq ans de ma vie. Je fais cela, non parce que je suis fatigué de la vie (tout au contraire) mais pour protester contre un public qui envoie en finale Io, tu e la rosa. "

Dalida s'est précipitée sur le corps de Luigi, deux hommes sont nécessaires pour l'arracher du corps sans vie. Dans un cri de douleur, elle ne peut croire à cette fatalité, c'est le début d'une mort lente pour elle aussi…

Rosy, Orlando et Lucien Morisse ont été prévenus et accourent aussitôt, ils découvrent une Dalida écrasée sous le poids du chagrin, les mains en sang. Lucien et Orlando l'emmènent par une porte dérobée pour éviter l'affluence des journalistes puis, ils prennent la route en direction de Nice où un avion les attend pour Paris.

De retour, Dalida remet de l'ordre dans sa vie et se produit le 7 février 1967 au " Palmarès des Chansons " de Guy Lux, avec la robe de San Remo et chante la chanson de Luigi. Trois jours après, elle veut revoir les images de sa prestation télévisée. Malgré la surveillance de sa famille, de son ami Christian de la Mazière et de Lucien Morisse qui sera toujours présent, elle prépare son départ. Pour cela elle a ficelé un scénario bien réfléchi : elle est déterminée.

Un dimanche, Dalida prévient sa famille qu'elle part pour Turin. Sa cousine Rosy l'accompagne à Orly sans aucun soupçon, tout lui paraît naturel. Dalida a prétexté un aller-retour rapide mais elle ne prend pas l'avion, attend une heure et revient sur Paris pour descendre à l'hôtel Prince de Galles, qui cachait ses amours avec Luigi. Dalida a donné son vrai nom, Madame Yolanda Gigliotti, pour ne pas être reconnue, le visage caché sous des lunettes noires. Arrivée à la chambre, Dalida accroche l'écriteau " ne pas déranger " et avale des barbituriques : elle sera découverte à temps le 26 février, sombrant dans le coma. Dalida a écrit trois lettres dont une destinée à Lucien Morisse qui doit être prévenu d'abord. Au bout de cinq jours, Dalida se réveille, étonnée d'être encore en vie et retrouve deux visages familiers, pleins d'amour pour elle, Lucien et Giuseppina sa mère à qui elle dira : " Pardonne-moi, Maman, je ne recommencerai plus ". Comment ne pas ressentir un malaise sachant que cette dernière phrase n'était que le mensonge d'une détermination future !

Par sacs postaux entiers arrivent des milliers de lettres pour Dalida. Finalement elle s'est décidée à sortir du tunnel. Désormais c'est à travers la lecture que Dalida va trouver son enseignement, elle s'intéresse à Freud, Jung, Theilhard de Chardin… De plus, un petit Luigi naît en mars 1967. Le fils de son frère aîné Orlando vient éclairer la vie de Dalida. C'est une femme différente qui naît aussi en ce mois de mai 1967. Son autoanalyse sera la suivante : " Je crois qu'avant je faisais tout instinctivement et qu'actuellement je peux mieux soupeser les choses, voir les choses, je crois que de toute façon quand il vous arrive des choses dans la vie, il faut en tirer profit, il faut apprendre sinon ça sert à rien, c'est-à-dire les gens ils disent qu'il faut oublier mais je ne crois pas, on peut se résigner mais pas oublier parce que si on oublie alors on n'apprend rien du tout. " Puis comme pour exorciser son cauchemar, elle revient le 8 juin chanter au "Palmarès des Chansons" :" Les grilles de ma maison " et " Ciao amore, ciao ".

En été, Dalida part avec le podium Europe N° 1 mais elle ne tiendra qu'un mois à cause de sa santé, restée fragile.

En Italie, Dalida reçoit " La caravelle d'or " pour " Bang Bang " et le 5 octobre 1967, elle se produit à l'Olympia avec Michel Polnareff en première partie. Elle interprète " Loin dans le temps " de Luigi Tenco. Dans ce nouveau répertoire la qualité des textes prend une part prédominante. Orchestrées d'une manière différente, les chansons, désormais, correspondent mieux à sa personnalité. En effet, Dalida les a choisies sous l'œil approbateur de son frère et manager, Orlando, qui s'occupe de sa carrière jusque dans les moindres détails. C'est l'Olympia de la renaissance. Dalida en toute sobriété, habillée d'une robe blanche, les cheveux lissés comme un voile, donne une image de profonde spiritualité. Jacqueline Cartier dira dans France Soir : " Mademoiselle Bambino est morte, vive Dalida ! " Les critiques sont unanimes et le public lui réserve un accueil triomphal.

IMAGES " CHIC-CHOC "

Dalida est de retour au cinéma, l'Italie de nouveau, lui offre cette fois le rôle principal de " Io, ti amo " (" Moi, je t'aime "), de Antonio Margheriti, où elle joue aux côtés d'Alberto Lupo vedette du moment en cette année 1968. En juin, elle reçoit du pays de ses ancêtres, l'oscar " Canzonissima " et la France lui décerne la Croix de Vermeil de Commandeur des Arts, des Sciences et des Lettres.

Des tournées attendent Dalida à travers le monde : Brésil, Argentine, Canada, Antilles puis Japon car à Paris une pseudo révolution trouble la vie sociale. Mai 1968 restera un passage dans l'histoire de France tandis qu'au Moyen-Orient le climat s'aggrave. La guerre éclate, Israël a signé un pacte de belligérance avec les autres pays arabes. Ces événements conduisent Dalida sur la brèche avec une interdiction de séjour sur l'ensemble des pays musulmans du Proche-Orient. Le prétexte est simple : quelques années auparavant, elle a interprété " Hava Naguila " un chant hébreu. L'artiste verra censurés tous ses produits (disques, films, affiches). Elle en sera profondément marquée.

Le 17 novembre, Dalida est élue Marraine des Poulbots de la Commune Libre de Montmartre où elle habite. Un beau symbole pour celle qui aime tant les enfants. Le 5 décembre, le Général de Gaulle en personne, lui remet dans les salons de l'Hôtel de Ville, la médaille de la Présidence de la République. Les récompenses et distinctions s'accumulent.

" Le temps des fleurs " que Dalida vient d'enregistrer enchante les Français : cette chanson se classe en tête des hit-parades.

Au MIDEM 1969, Dalida reçoit le " Prix Italien ", pour la plus grosse vente de disques, avec Maurice Chevalier et Mireille Mathieu.

Dalida enregistre la chanson du générique du film d'Henri Verneuil *Le Clan des Siciliens*, avant de partir pour des galas à Abidjan puis à Dakar.

UN APPRENTISSAGE SPIRITUEL

Orlando a pris en main la carrière de Dalida, il décide maintenant de créer sa propre société de production sous le label I.S. ORLANDO, International Show Orlando. Dalida quitte alors Barclay en accord avec Eddie lui-même. Un 45 tours, le premier en distribution chez Sonopresse, aura une coloration très méditerranéenne : " Darla Dirladada " devient un tube. Un de plus, quel que soit le climat…

Cependant, Dalida semble préoccupée, elle veut prendre ses distances vis-à-vis du métier, elle ne supporte plus la solitude et ressent, de plus, un sentiment de culpabilité après la mort de Tenco. Il lui faut trouver un remède, trouver des réponses à ses questions.

Une rencontre s'offre à Dalida sur son chemin de vie. Un soir de 1969, Arnaud Desjardins donne une conférence pour l'association l'Homme et la Connaissance. Dalida se trouve dans l'assistance. L'exposé terminé, l'auteur des *Chemins de la Sagesse*, écrivain, cinéaste-aventurier, réalisateur pour la télévision française, spécialiste des religions orientales et familier des plus grands maîtres de l'hindouisme, du bouddhisme tibétain et zen, dédicace ses œuvres. Vient le tour de Dalida, à la grande surprise d'Arnaud Desjardins, très flatté, à qui elle fait signer une dizaine d'ouvrages, qu'elle distribuera autour d'elle. Mais c'est bien mal connaître Dalida si elle en restait là ! Elle souhaite connaître davantage M. Desjardins dont elle a suivi les émissions. Dalida a vite trouvé le trait d'union qui les rapprochera : c'est l'acteur-chanteur Giani Esposito, ami du réalisateur avec lequel il partage la même quête spirituelle, qui fera passer le message. C'est ainsi qu'Arnaud Desjardins prend, un soir, le chemin de Montmartre. Dalida a donné congé à ses deux employés de maison et cuisine elle-même pour ses convives qu'elle sert également. Dès le lendemain, Arnaud Desjardins recevra une brève missive de Dalida, enchantée de ce premier contact.

Maurice Béjart, en mai 1969, rassemble sur le plateau de télévision de " L'invité du Dimanche " quelques-uns de ses amis. Parmi eux, précisément, Arnaud Desjardins, auquel Pierre Dumayet demande le sens du mot " Bhakti ", titre du prochain ballet du chorégraphe. Arnaud Desjardins se lance dans l'explication que voici : " C'est un mot que l'on traduit par " dévotion " dans les lexiques ; or pourquoi ne pas dire tout simplement " l'amour " ? Mais pas n'importe quel amour. Celui dont je parle n'asservit pas mais libère. N'est-ce pas effroyable que l'on emploie en français comme en anglais l'expression cruelle " tomber amoureux " ? " Comme si l'amour devait faire déchoir… Non, je parle d'un amour qui élève, à propos duquel on pourrait légitimement dire " s'élever amoureux ". Dalida se trouve naturellement devant son poste de télévision. Elle est bouleversée par les paroles prononcées par Arnaud, lequel doit justement dîner chez elle le soir même.

Dalida, femme de conviction, fait part de toute son admiration à Arnaud pour les propos qu'il a tenus lors de l'émission de télévision. Quant à Arnaud, depuis plusieurs semaines, il a constaté son attirance envers Dalida et lui en fait part tout de go : " Écoutez, je vous dois la vérité. Je ne puis vous laisser croire que je suis seulement là pour répondre à vos questions. Je suis très attiré par vous sentimentalement et physiquement. " Succombant au charme et à la franchise d'Arnaud, Dalida lui dira, du tac au tac, ces mots surprenants venus d'un inconscient profond, enlevant immédiatement un obstacle à sa vie de femme, en le tutoyant : " Si tu ne veux plus que je chante, je ne chanterai plus. " Cette phrase trop vive, répond naturellement à une peur, la peur de perdre ce nouvel amour, elle est prête à sacrifier sa carrière pour le garder !

Dalida et Arnaud Desjardins sont liés tout d'abord par une même recherche d'absolu. Arnaud devient un guide pour celle, avide de connaissances, qu'il appelle de son vrai prénom Yolanda. Lors d'une de ses émissions de télévision " L'invité du Dimanche " le 2 novembre 1969, Arnaud Desjardins consacre à son amie une interview dans laquelle elle livre son propre témoignage et au cours duquel elle dira : " Depuis trois ans, depuis ce qui m'est arrivé, que tout le monde sait d'ailleurs, je me suis enfermée dans cette maison et j'ai essayé de comprendre et la première des choses, c'est que je n'avais absolument plus du tout envie de chanter mais j'ai reçu tellement, tellement de lettres d'admirateurs, tellement qui me témoignaient leur affection et leur admiration pour moi, que je me suis dit ce n'est pas juste, c'est-à-dire, avant je chantais pour moi, maintenant si je chante je dois faire mon travail, eh bien ma place peut-être, c'est la chanson, eh bien je me mettrai au service de la chanson, je chanterai pour eux.
" Je suis partie pour un amour et je me suis retrouvée en arrière dans ce monde avec un autre amour, un autre genre d'amour, je suis partie pour rejoindre une âme et je me suis trouvée face à moi-même, mon âme. " Et Arnaud Desjardins de rétorquer : " Vous voulez dire et ça tous les téléspectateurs s'en souviennent, quand vous avez voulu mourir et heureusement, après cinq jours dans le coma, vous êtes revenue à la vie, qu'à ce moment-là s'est opérée la transformation ? " Dalida répond avec une grande sincérité : " Absolument, je me suis demandée le pourquoi, le comment, de tout ce qui m'arrivait et finalement je me suis aperçu, voilà oui, c'est la recherche aussi, c'est que mon âme finalement je ne la connaissais absolument pas. "

A travers cette image que représente Arnaud Desjardins, Dalida a le sentiment de trouver le visage de la sérénité et de l'amour. En janvier 1970 elle part pour le Népal, accompagnée par Arnaud Desjardins, faire une halte dans un ashram, afin d'étudier la religion hindoue auprès du Maître spirituel, Suamiji. Celui-ci l'encourage à poursuivre son chemin dans la chanson alors qu'elle veut arrêter, croyant retrouver une vie " normale ". Elle fait aussi d'autres belles rencontres, vit en toute simplicité, ses cheveux relevés en chignon, sobrement vêtue, dans un habitat sans électricité ni eau, se baignant dans des lacs, une vie monacale en quelque sorte. Mais aussi un couple résolument impossible, chacun restant sur sa trajectoire et ne voulant renoncer à rien. Dalida fera plus tard un nouveau voyage en Inde, mais seule.

Dalida est entrée en chanson, c'est sa religion, quant à Arnaud, né dans une famille protestante, il est dépendant de la spiritualité, son engagement est trop fort, il a soif de cette vérité et elle passe avant Dalida. Du reste il le reconnaîtra avec beaucoup d'honnêteté. Leurs divergences n'altéreront en rien les sentiments profonds d'estime et d'amitié qui se sont noués.

Si Dalida abandonne sa quête spirituelle c'est qu'elle veut poursuivre sur un autre terrain : celui de l'analyse.

LE TEMPS DE LA RÉFLEXION

Le voyage intérieur est commencé pour Dalida, voici ce qu'elle en dira : " Moi, je pense que le voyage le plus merveilleux ce n'est pas celui que l'homme fait en allant à la lune mais c'est le voyage intérieur et le plus fantastique ; il est très escarpé aussi, il est très pénible mais je crois qu'il est nécessaire, il est très nécessaire à l'être de se connaître parce que si on ne se connaît pas, on connaît pas les autres et si on ne s'aime pas, si on commence pas par s'accepter soit même, on peut pas accepter les autres, on ne peut pas les aimer. "

Cette recherche durera quatre années qui feront d'elle un être fort et fragile à la fois. Mais un événement dramatique vient de nouveau la bouleverser : le 11 septembre 1970 elle apprend la mort de son ex-mari, Lucien Morisse, à l'âge de quarante et un ans, qui s'est suicidé huit ans après leur séparation. Dalida perd son plus proche confident, l'ami de toujours. Ce deuil est insoutenable pour Dalida. Pourtant le soir même, elle doit chanter à Athènes au concours Miss Univers. Elle saura, une fois encore canaliser son émotion, puis poursuivra sa tournée en Espagne et en Italie.

Le 28 octobre 1970 Dalida reçoit le deuxième Oscar de Radio Luxembourg pour la meilleure performance réalisée avec soixante-quinze mille disques vendus avec " Darla Dirladada ".

Après quelques mois de réflexion, où Dalida s'est un peu posée, entre les tournées et les galas, mais sûrement pas reposée, un nouveau drame la frappe : sa mère tant aimée, Giuseppina, meurt le 18 septembre 1971, un an après Lucien. Le mois de septembre a décidément le visage de la mort.

Au cours de l'émission " L'invité du dimanche " de Jacques Audoir, le 29 septembre, Dalida se livre et cela lui fait beaucoup de bien en ce moment de deuil. Femme de dialogue et surtout d'analyse, elle lance ses paroles avec fougue, en insistant sur le mot " ami " : " A un moment de ma vie, j'ai rencontré un ami, un ami qui est dans ce studio, un ami et c'est le docteur Guy Pitchal qui est là et il m'a fait connaître la dimension de l'inconscient, c'est-à-dire, ce chemin fou que j'avais pris de connaissances, il m'avait mise sur la juste route et je suis ravie qu'il soit là. " Le docteur Pitchal poursuit : " Ce qui la caractérisait surtout et ce qui est très rare et finalement très satisfaisant pour soi, c'est son extraordinaire désir de connaître qui était comme une pompe aspirante... " Dalida, avec humour, intervient : " C'est vrai qu'il m'appelle l'aspirateur " et le docteur Pitchal, ne perdant pas pour autant le fil de sa conversation de reprendre : " Le simple désir de connaître mais le désir de connaître non truqué et ce qui me frappe aussi chez Dalida, c'est son honnêteté, c'est pas truqué, elle est directement dans le sujet et elle désire connaître ; elle veut découvrir l'inconnue qui est en elle, elle se lance dans l'analyse. "

L'analyse est nécessaire quand il y a refoulement, il peut être inconscient du reste... Il faut remonter dans le passé pour trouver la cause et comme le dit si bien Nietzsche : " Nul bonheur, nulle sérénité, nulle expérience, nulle fierté, nulle jouissance de l'instant présent ne pourraient exister sans la faculté d'oubli. "

A Naples, Dalida fait la connaissance de Léo Ferré à qui elle porte une immense admiration. C'est Léo lui-même qui va l'encourager à interpréter sa chanson " Avec le temps ", avec ses paroles sincères : " Maintenant tu es prête, tu peux la chanter ! " Ce qu'elle fera ce 29 septembre à la télévision française, en direct, à l'émission " L'invitée du Dimanche ", en attendant l'Olympia prévu le 23 novembre. Puis elle va clore cette année par une série de récitals au Picadilly de Beyrouth.

LE DÉBUT DE LA MÉTAMORPHOSE

Peu à peu Dalida trouve sa véritable personnalité à travers un répertoire de dix nouvelles chansons. Elle choisit des auteurs très divers parmi lesquels : Michel Legrand " Une vie ", Serge Lama " Toutes les femmes du monde ", Michel Sardou " Les voix de mon enfance ", Pierre Delanoë " Je t'aime, ça veut dire aime-moi " et bien sûr Léo Ferré " Avec le temps " et " Monsieur l'amour ". Pour elle, le texte est devenu une priorité. Dalida compte sur la fidélité de son public. Elle part donc de front, sûre d'elle, dans son unique robe blanche, symbole de renouveau, qu'elle portera durant neuf ans.

Dalida retrouve l'Olympia en ce 23 novembre 1971, après quatre ans de recul, " le métier " lui n'y croit pas ! Il ne reste plus qu'une solution à Dalida pour s'imposer : elle doit payer elle-même la location de la salle. Si elle n'hésite pas à se remettre en question, c'est que la suite de sa carrière en dépend ; c'est " quitte ou double ". Pendant deux semaines, elle chante à guichets fermés et son public lui fait chaque soir une ovation. Avec toute la sincérité qu'on lui connaissait, Bruno Coquatrix écrira alors à Dalida une lettre ouverte en ces termes :

" Ma chère Dalida,

C'était en 1956, que je t'ai rencontrée pour la première fois. C'était même sur la scène de l'Olympia où tu participais à une audition de jeunes artistes et où tu chantais, si mes souvenirs sont exacts, " L'étrangère au Paradis ".

Je me souviens aussi de ta longue robe blanche dans un tissu brillant en satin je crois, et je me souviens surtout de ta beauté, de ton éclat qui ensoleillait brusquement la scène de l'Olympia sans que les projecteurs aient eu à intervenir.

C'était tes premiers pas sur une scène parisienne. Je me rappelle encore t'avoir engagée quelques mois plus tard à Cabourg (heureuse mémoire !) Et puis, les choses se précipitèrent.

Ce furent tes vrais débuts à l'Olympia. Tu étais " supplément au programme " ; tu chantais trois chansons et ton cachet était de 2 500 anciens francs.

Ce fut un tel succès qu'à la générale, je te signais immédiatement deux contrats, le premier pour passer en vedette américaine et le second en grande vedette.

Rarement carrière fut aussi rapide et du jour au lendemain, tu devins l'Enfant chéri de Paris.

Ton origine italienne et surtout ton allure très " cinecita " ou " via veneto " à l'heure de l'apéritif t'inclinèrent à interpréter les chants ensoleillés de la Méditerranée et je me demande si, à ce moment-là, ton répertoire n'était pas victime de ton personnage et si tu n'étais pas trop belle pour chanter ce qui correspondait mieux aux méandres de ton âme et de ton cœur.

Et ce fut probablement pendant des années cette bataille entre ton enveloppe matérielle et ta personnalité spirituelle.

Et puis, avec les années, et les joies et les misères que tu as connues comme chacun d'entre nous, TA vérité s'est imposée, mais il fallait aussi l'imposer à ton public.

C'est pour cela que tu as choisi la " cassure " qui t'éloignait des scènes parisiennes et de ses spectateurs pendant plusieurs années.

Aujourd'hui, tu reviens, différente pour ceux qui ont encore en mémoire l'image de ce que tu étais en 1956, une autre Dalida ? Non. Toujours la même avec cette même robe blanche, mais la Vraie Dalida.

... Et je crois que nous t'aimerons plus encore.

Je t'embrasse. "

Dalida, en réponse, dira :

" Je suis et je reste une chanteuse populaire. J'essaie de choisir des textes plus " solides ", c'est vrai, mais toujours populaires. Et surtout, j'essaie de les chanter avec tout mon cœur. Je suis certaine que le public le sentira et que la communication s'établira très vite, comme avant. De toute façon, un artiste ne doit pas se cramponner à son image, sous prétexte qu'il aura réussi et lui a valu son succès auprès du public. Parce qu'alors, il devient caricature de lui-même. Il faut essayer d'évoluer sans trop de heurts. " (Extraits du Journal de l'Olympia — spécial spectacles de novembre 1971 — bimensuel d'information.)

Le répertoire de Dalida comprend notamment la chanson : " Avec le temps ". Les critiques sont unanimes pour dire qu'elle égale maintenant Piaf ou Chevalier… alors que le public, lui, le sait depuis toujours.

Les textes des chansons ont pris effectivement l'avantage, Dalida marque un intérêt profond pour les livres traitant de philosophie, psychanalyse ou sociologie. C'est une cérébrale, Dalida. Elle a envie d'aller encore plus loin. De ses livres, ses fidèles amis, elle en parle comme d'un amour : " Moi, je m'entoure de livres, j'aime mes livres avec moi parce que je trouve que la chose la plus précieuse qu'il y a c'est un livre parce qu'il est toujours là, il est fidèle, on peut le lire, on peut le relire, c'est un compagnon merveilleux, on peut l'ouvrir, le regarder quand on veut, il est là, il nous quitte jamais ", et à propos de la philosophie précisément, elle ajoutera : " La connaissance de soi est indispensable pour mieux vivre, elle aide à être plus dans la réalité, à vivre moins dans les fantasmes. Elle permet aussi de mieux aimer, d'être moins égoïste et puis d'avoir un peu plus de vrais sentiments, d'être mieux dans sa peau de ne pas avoir peur de mourir. "

Dalida s'intéressait à beaucoup de choses, c'était une femme ouverte sur le monde, curieuse et toujours à la recherche de quelque chose d'autre, là où il y a mystère. Curiosités passagères ou études profondes, qu'importe si cette facette " intello " a suscité des moqueries de la part de certains détracteurs.

Désormais Dalida va composer pour elle-même deux répertoires, paradoxalement opposés, mais n'est-elle pas elle-même une femme multiple ? Elle se posera même la question à laquelle elle apportera cette réponse : " Je suis un parlement, je ne sais pas, il y a tellement d'êtres en moi que pour mettre en accord tous ces êtres, c'est très difficile, il faut les accepter tous. "

Et plus tard, d'ajouter, lors du débat télévisé " Aujourd'hui magazine " de Georges Barrier : " Il ne faut pas de nouveau me créer un conflit, parce que le conflit Yolanda/Dalida je l'ai eu tellement et j'ai mis tellement de temps à faire la synthèse entre la femme et l'artiste… ce qui est merveilleux, c'est que je fais la paix avec Yolanda, c'est très bien car à un moment de ma vie c'était Dalida, Dalida, Dalida et à un moment, la femme il y avait un manque, il y avait quelque chose qui n'allait pas et il y a eu un conflit intérieur qui était très important et très grave, j'étais comme un kaléidoscope, si on me touchait je partais en mille morceaux ; il a fallu que je ramasse tout ça et que j'unifie tout ça. "

Mais derrière ces réflexions, se cache une femme avide de liberté de pensée. A ce propos, en 1980 lors de l'émission " Les nouveaux rendez-vous " Dalida dira à Ève Ruggieri : " Pour moi, la liberté la plus importante c'est l'homme libre, mais l'homme libre à l'intérieur de lui-même, et comme je pense que nous sommes tous un sac de nœuds, nous sommes une contrariété et que c'est difficile d'unifier toute cette contrariété, alors pour moi la liberté c'est vraiment pouvoir s'unifier de l'intérieur et être libre de soi-même, finalement être libre de notre propre combat intérieur. "

La lucidité implacable de Dalida fait sa force, elle a donné sa vie à la chanson et sur la scène elle ne fait qu'une. La scène est le seul endroit où Dalida s'autorise tout. Bien préparée, avant chaque gala elle répète plusieurs fois toutes ses chansons puis dans sa loge, elle fait le vide et plus personne ne doit entrer. Le trac est bien là, la décharge d'adrénaline est l'empreinte qui reste, cette peur vécue au quotidien s'installe et rend l'artiste de plus en plus sensible et fragile, il se noie au travers de tout ce qui est vécu, voilà tout le danger.

Aux premières notes de musique, c'est une salle tout entière que Dalida doit entraîner avec elle, c'est le moment du partage, chaque spectateur doit être touché, doit se sentir concerné, cela fait peur, c'est le rendez-vous d'amour. Sa sensualité de femme est alors à son comble et comme l'ont écrit en commun deux journalistes de " Libération " : " Quand elle glisse ses mains dans ses cheveux, c'est son âme qu'elle caresse."

Dalida doit choisir sa voie et c'est à ce moment-là qu'une rencontre va bouleverser aussi sa vie de femme : un homme est entré dans sa vie, il s'appelle Richard Chanfray, il a pour pseudonymes Richard Saint-Germain ou le Comte de Saint-Germain.

LES ANNÉES DE BONHEUR

C'est un homme très séduisant que Dalida présente à ses amis, il est plus jeune qu'elle mais la différence ne se voit guère. Ils se sont rencontrés le 21 octobre 1971 et offrent l'image du couple parfait, un couple d'une grande beauté représentant d'un certain romantisme auquel le public ne reste pas insensible. C'est une relation commune, un industriel du nom de Guillaume Biro, qui fera les présentations. Richard Chanfray dit le Comte de Saint-Germain arrivera chez Dalida, en cape noire et chemise à jabot.

Richard est un " touche à tout ", un artiste éclectique, il a beaucoup d'imagination, trop peut-être, il se laisse facilement glisser dans ses histoires rocambolesques où la mythomanie règne allègrement. Mais son originalité ne déplaît pas à Dalida qui trouve cela plutôt drôle au début. Au cours d'une émission télévisée, Richard Chanfray ira même jusqu'à transformer du plomb en or : la supercherie est admirable de talent et le jeu de séduction infaillible.

Dalida et Richard ne se quittent plus. Richard s'est installé à Montmartre. Dalida n'en oublie pas sa carrière pour autant, puisqu'elle enregistre " Le Parrain ", ce qui lui vaudra un jour une petite visite surprenante dans sa loge, de quelques hommes " chapeautés ". La chanson du film l'amène à recevoir un nouveau disque d'or suivi d'un oscar de la Popularité qu'elle partage avec Joe Dassin.

En janvier 1973, Dalida chante à Beyrouth, une ville qu'elle affectionne. C'est aussi pour elle l'année des retrouvailles avec son ami de toujours, Alain Delon. Ils enregistrent un duo " Paroles ", qui se classera numéro un en France, également en bonne place au Japon.

Durant ces années va s'opérer une transformation et de l'artiste et de la femme avec un réel épanouissement, une beauté sans cesse grandissante au prix d'attentions particulières et de régimes : 51 kg pour seulement 1,68 m. Car Dalida n'était pas aussi grande femme que l'on pouvait se l'imaginer en la voyant à la télévision. Elle saura maintenir sa taille mannequin jusqu'à la fin. Un vrai modèle pour toutes les femmes, impeccable en toutes circonstances ! La métamorphose s'accomplit et cela ressemble au bonheur.

C'est aussi avec Richard que Dalida décide de faire construire une maison en Corse du Sud, à Marina di Fiori, près de Porto Vecchio car elle a envie de vacances intimes à l'abri des regards indiscrets. Elle vit enfin une grande histoire d'amour mais jusqu'à quand ?

Parmi les plus fidèles admirateurs à Dalida, il y en a un qui se remarque ou plutôt qui se démarque, c'est François Mitterrand. Celui-ci ne manque jamais une première à chaque fois qu'il le peut. Danielle et François Mitterrand sont ses amis ce qui, par la suite, vaudra à Dalida un incident de parcours qu'elle ne saura pas maîtriser ou du moins qu'elle n'aura pu anticiper. On le sait, ce qui caractérise Dalida c'est l'intelligence du cœur. Qu'importe pour cette femme de courage ce que les autres peuvent penser de cette relation d'amitié. Elle assume pleinement, sereinement.

Quand elle revient à Montmartre, une nouvelle équipe lui écrit plusieurs chansons parmi lesquelles " Il venait d'avoir 18 ans " qui devient très vite un immense succès, classé numéro un dans neuf pays, avec trois millions de disques vendus. Dalida l'enregistrera même en allemand et en japonais. Cette chanson parle de l'aventure entre une femme mûre et un tout jeune homme. Voilà qui risque de choquer de nombreux esprits bien-pensants. Mais Dalida aime à relever les défis. La chanson " passera " immédiatement auprès du grand public grâce à la sincérité, au naturel et la magie avec lesquels les auteurs, Pascal Sevran, Serge Lebrail et Pascal Auriat, ont aborder un sujet " sensible " pour l'époque. Sans aucun doute, Dalida a amené à elle une autre génération ; elle interprète aussi une chanson qu'elle fera naître véritablement : " Je suis malade " dont Serge Lama est l'auteur et Alice Dona le compositeur. Le chanteur-auteur reprendra légitimement ce titre dont il reconnaîtra, avec bonne foi, que le succès est dû, avant tout, à Dalida. Elle reçoit le Prix Triomphe 1973 avec Tino Rossi, pendant la " Nuit du Cinéma ".

Dalida ne s'arrête pas là, elle enchaîne dans un tout autre style, auquel personne encore ne s'est risqué, une mini comédie musicale, dans laquelle elle se révèle enfin comédienne : " Gigi l'Amoroso ".

Le 15 janvier 1974, Dalida revient à l'Olympia, où elle a fait engager en première partie un débutant auquel elle croit beaucoup, il s'appelle Hervé Vilard. A cette occasion, elle reçoit un disque d'or pour " Il venait d'avoir 18 ans " et " Gigi l'Amoroso "... " Gigi " obtient l'Oscar mondial du succès du disque, devient numéro un dans douze pays et sera adapté en japonais.

Un an plus tard, le 13 janvier 1975, à l'Olympia encore une fois, Dalida se voit remettre huit Oscars de la chanson au cours d'un Musicorama spécial. Dalida représente la première vente de disques au monde, battant le record détenu depuis 1966 par Frank Sinatra. L'Amérique l'appelle encore !

Avec son compagnon, le Comte de Saint-Germain, Dalida enregistre " Et de l'amour... de l'amour " en février. Le 12 de ce même mois, elle reçoit le prix de l'Académie du disque, remis à l'Hôtel de Ville, pour " Il venait d'avoir 18 ans ".

Dalida part pour une tournée d'été avec le podium d'Europe 1 et sillonne la France. Dans chaque ville, le triomphe l'attend. Après sa tournée, Dalida a besoin de repos, elle le trouvera à Saint-Tropez pour quelques jours seulement avant d'entreprendre, en octobre et novembre, une tournée au Québec. Là-bas, un sondage la nomme la personne la plus populaire après Elvis Presley et femme de l'année avant Jackie Kennedy.

Dalida enregistre " J'attendrai ", créée en 1937 par Rina Ketty ; Orlando a décidé d'y apporter une nouvelle orchestration, rythmée, sur laquelle on peut danser. Quels que soient les arrangements du moment, les belles chansons ne meurent pas : encore une fois Dalida atteint le sommet des hit-parades. Un autre tube suivra dans la même lignée, ce sera " Besame Mucho ". Orlando, intuitif, a vu juste une fois de plus.

L'IRRÉPARABLE

En 1976, Dalida se trouve classée en tête du hit-parade des 45 tours, tandis que Jean Ferrat l'est de même pour les 33 tours. Gilbert Bécaud a écrit " Je suis amoureuse de la vie " pour Dalida qui interprète aussi " Quand on n'a que l'amour " de Jacques Brel. Deux grands auteurs, deux grands interprètes nouvellement inscrits à son répertoire. La chanteuse suscite alors un regard différent de la part du public qui va grandissant. Plus qu'une remise en cause, un pas en avant.

Durant cette période, entre Richard et Dalida, il y a des hauts et des bas, comme dans tous les couples probablement mais vivre avec une star demande un abandon de soi. Richard a sûrement le sentiment de n'être, aux yeux du public, qu'un chevalier servant pour Dalida. Cependant son rôle reste primordial pour elle, resplendissante de beauté et femme épanouie. Mais les médias s'acharnent sur Richard, chaque fois qu'ils le peuvent : la traque est d'autant plus facile qu'il va, sans le vouloir, leur donner l'occasion d'écrire de sales lignes.

En effet, en ce 15 juin, Dalida a donné un jour de congé à Maria son employée de maison depuis trois ans, laquelle habite une chambre située au dernier étage de la grande maison de Montmartre. Le 18 juin vers une heure du matin, Dalida et Richard rentrent d'une soirée passée à la campagne chez des amis, Dalida conduit sa petite Austin noire. En ouvrant le portail, ils aperçoivent de la lumière dans la chambre de Maria, ils ne comprennent pas mais après tout, peut être a-t-elle oublié d'éteindre avant de partir ? Richard, quant à lui, suppose que quelqu'un s'est introduit dans la maison. Pour en avoir le cœur net, il attrape sa 22 Long Rifle et monte les étages. Après avoir frappé à la porte, n'obtenant aucune réponse, il ouvre avec un double de la clef et trouve un homme vêtu du minimum. Richard ne se contrôle plus : " Qu'est-ce que vous foutez ici ? Vous n'avez pas le droit... " mais l'homme, qui ne parle pas bien le français, manque de spontanéité dans ses réponses et Richard perd son sang froid, il repousse l'individu avec son fusil chargé. Un geste maladroit. Le coup part à bout portant. L'inconnu est gravement blessé. Dalida vient de vivre un nouveau drame et réalise déjà les conséquences d'un tel acte.

L'homme en question, un chauffeur du XVIe arrondissement, était le petit ami de Maria qui lui avait donné la clef parce qu'il ne savait pas où dormir. Ce n'était d'ailleurs sûrement pas la première fois...

Dans cette histoire, tout le monde est coupable et ensemble, ils inventent une autre version des faits : l'homme va déclarer qu'il a été agressé alors qu'il marchait dans la rue, Dalida et Richard l'auraient alors trouvé ainsi et auraient appelé un taxi pour l'emmener à l'hôpital. Ils appellent Police Secours mais tout ceci n'est pas cohérent, les vêtements du prénommé Joao ne portent pas de trace de balle... Richard a peur d'être renvoyé en prison, sa jeunesse lui ayant déjà montré le chemin...

Au fil des jours, tout cela deviendra de plus en plus pesant pour le couple qui semble se rapprocher de nouveau. De plus un ami avocat leur donne le mauvais conseil de confirmer leurs dépositions...

Les proches de Dalida n'ont pas été mis au courant, mais très vite, ils apprennent le drame par Maria ellemême, venue le révéler par un concours de circonstances.

La police, qui ne croit pas à cette histoire saugrenue, a arrêté Richard pendant que Dalida se trouvait en Corse pour les travaux de sa future maison de vacances. En arrivant de voyage, elle trouve une convocation du commissariat du XVIIIe arrondissement. Dalida décide de tout dire à Maître Kam, son avocat, qui lui conseille alors de déclarer la vraie version des faits sinon elle se rendra complice… Elle hésite encore mais la raison prend le dessus, elle est prête pour l'interrogatoire.

Richard a appris que Dalida a dit la vérité. Finalement, il préfère que les choses soient ainsi plutôt que de répondre aux incontournables questions. Inculpé de tentative d'homicide involontaire, il doit rester en garde à vue jusqu'à son incarcération à la prison de Fresnes.

Dalida se voit assaillie par les journalistes et les photographes qui n'hésitent pas à la harceler jusque chez elle. De plus, Joao a eu le temps d'analyser une situation qui pourrait se révéler profitable pour lui. C'est ainsi qu'il ira jusqu'à se raviser dans sa déposition en affirmant que Richard aurait tiré sur lui volontairement…

La vie professionnelle de Dalida ne doit pas s'arrêter pour autant. Ses galas reprennent, le public ne la boude pas, au contraire il sait faire la part des choses : elle se sent soutenue et respectée, le personnage public est resté intact. Au bout d'un mois, Richard est libéré sous caution jusqu'au procès. Dalida va l'attendre à la maison, comme si elle avait fait un mauvais rêve.

Pour tenter de gommer ces pages noires, Dalida a décidé de retrouver la Choubrah et son enfance.

PÈLERINAGE

Les années ont si vite passé, Dalida n'a pas revu le pays où elle est née et ce manque l'entraîne irrésistiblement sur les lieux de son enfance. Elle va faire ce pèlerinage, au milieu de l'année 1976, grâce au réalisateur Michel Dumoulin. Celui-ci lui propose de tourner un film sur sa vie, il voudrait des images susceptibles d'émouvoir le public. Bien entendu Orlando produira le film au titre évocateur : *Dalida pour toujours…*

Dalida retrouve son quartier de Choubrah qui a terriblement changé. D'autres habitations sont venues se planter et sa propre maison n'a plus la même allure, un état de délabrement amplifie le choc. Elle en dira : " En Égypte, j'ai passé toute mon enfance, le quartier où j'ai passé mon enfance est un quartier populaire, il n'y avait pas beaucoup de maisons. C'était une petite rue avec peu de maisons et quand je suis retournée, j'étais très déçue et j'étais vraiment très touchée, d'abord, de voir la transformation, je ne reconnaissais plus ma maison parce que il y a eu beaucoup de transformations ; il y a un million d'habitants en plus tous les ans qui naissent et puis tout a changé finalement, ce n'est plus la même chose, même le pays lui même, c'est pas la même chose. " A l'intérieur de ses paroles, souvent doubles, elle veut appuyer la compréhension, (dans toutes ses conversations, elle le fait systématiquement). Dalida doit entrer dans la maison, mais arrivée à mi-chemin des escaliers, elle éclate en sanglots. L'émotion est trop forte, elle veut arrêter mais le réalisateur poursuit son travail tout en sachant qu'il coupera certaines scènes trop pénibles pour elle. L'exercice est terrible. Il faut s'investir pour le présent tout en relatant le passé, cela est un premier déchirement pour Dalida — il lui sera fatal la prochaine fois— .

Une plaque avait été scellée qui portait le nom de " Pietro Gigliotti, premier violon " mais elle est cachée par une autre plaque : " Ici est née Yolanda Gigliotti dite Dalida, chanteuse. " Dalida folle de rage ne supporte pas que le nom de son père ait été remplacé par le sien, elle tente bien de l'arracher, sachant très bien qu'elle n'y arrivera pas, et hurle : " Enlevez-moi ça, je ne suis pas encore morte ! " La petite fille d'autrefois a retrouvé ses marques et sa voix…

Dans le scénario, il est prévu aussi une visite à l'école religieuse où Dalida a fait ses études. En arrivant, elle reconnaît quelques-unes des sœurs, parmi lesquelles Felicina vers qui elle se dirige et l'embrasse. Les années ont creusé des sillons mais la lumière de sa maîtresse d'école est toujours là. Les voix retentissent et ne s'arrêtent plus relatant, à travers les photos, les pièces de théâtre que jouait Dalida lorsqu'elle faisait ses débuts dans l'établissement.

Quel chemin parcouru en quarante-trois années d'existence ! Dalida va clore l'année 1976 par trois récitals donnés à Prague puis et elle sera reçue par le roi Hassan II, dans ce Maroc qui a si bien compris Dalida et ses intentions pacifistes

RUSHES DE VIE

Après deux ans d'absence, Dalida revient du 4 au 26 janvier 1977 à l'Olympia où elle apparaît, sobre et sans bijou, dans sa robe blanche de Balmain. Elle y interprète dix nouvelles chansons d'amour, souvent autobiographiques : il est vrai qu'elles ont été écrites par ses auteurs attitrés : ils ont su glaner les mots de Dalida lancés au cours de leurs conversations amicales. C'est dans " Femme est la nuit " que Dalida peut évoluer le mieux sur scène, sur un rythme disco. Ce nouveau titre composé par le célèbre italien Toto Cutugno a été adapté par Pascal Sevran pour les paroles en français. Le public est conquis. Ensuite Dalida partira en février au Canada pour une série de récitals, et, en juillet, le Liban l'accueillera pour une tournée.

Sous l'œil avisé de la réalisatrice Nina Companeez, Dalida va tourner " Comme sur des roulettes ", avec pour partenaires Guy Lux et Michel Drucker et la participation d'Évelyne Buyle. Il s'agit d'une trop courte apparition. Des rushes de vie posés comme ça sur la pellicule…

Le film de Michel Dumoulin (soixante-dix-huit minutes) produit par Orlando est diffusé le 1er novembre 1977 à la télévision française. Ce document-vérité retrace à la fois la vie de l'artiste et la vie de la femme qui a été filmée pendant de longs mois. René Château proposera la vidéo en vente au public seulement en 1993, en soulignant " la vie de la dernière Diva du Music-Hall ".

Dalida enregistre " Salma ya Salama ", une chanson tirée du folklore égyptien. Ce nouveau titre arrive en même temps que les accords israélo-arabes mais le rapprochement mené par Anouar el-Sadate sera interrompu par la fin tragique du président égyptien…

Dalida débutera son année 1978 par des récitals à Prague. C'est aussi une année en rythme qui s'annonce pour elle, avec ses anciens succès remis au goût du jour : cela s'appellera " Génération 78 ", un disque pot-pourri dont les arrangements et les enchaînements seront écrits par Jeff Barnel, liés par la voix du jeune comédien, Bruno Guillain, repéré dans *l'Hôtel de la Plage*.

Bruno Guillain et Dalida se déplacent ensemble pour la promotion du disque mais ils ne s'arrêtent pas là, ils enregistrent également dans le même esprit " Ça me fait rêver ". Ils chantent, ils dansent et c'est très agréable de voir à la télévision deux générations en harmonie.

Sur RTL, où Michel Drucker anime chaque midi en direct " La Grande Parade ", Dalida, régulièrement invitée, joue le jeu, et, le 10 juillet, c'est au cours d'une de ses émissions publiques que l'animateur-vedette remet le disque d'or pour " Génération 78 ".

Les tournées s'enchaînent sur toutes les scènes du monde et c'est un triomphe. Lorsque Dalida arrive en Jordanie, c'est avec la chanson " Salma Ya Salama " chantée en langue arabe. Le 29 novembre au Carnegie Hall de New York, elle chante en six langues pour un public cosmopolite et danse sur ces rythmes aux excellents supports. Dalida se sent pleinement dans son élément avec ce balancement entre le corps et l'âme, un hymne sensuel et provocateur aussi mais tellement attirant. Pour clore l'année, elle donne deux séries de galas au Canada, un beau cadeau de Noël pour nos cousins francophones.

En ce début d'année 1979, ô surprise ! Dalida se voit proposer un contrat très particulier pour Broadway. Les premières discussions se feront sans elle qui reste, de toute façon, seule à décider. Roland Ribet, son agent et Orlando l'informent du contenu de la proposition. Il s'agit en fait d'une comédie musicale. Les Américains sont très " possessifs " à l'égard des artistes lorsqu'ils les ont choisis, ils sont exclusifs quant à leurs désirs : Dalida devra rester un an aux États-Unis et elle dépendra totalement de la production qui l'engage.

La réponse de Dalida ne se fait pas attendre, c'est un non catégorique. Une année loin de sa famille et de ses amis, c'est inconcevable pour elle. De plus, elle ne peut pas se voir privée de sa liberté et se laisser dicter ses faits et gestes…

Cet hiver devient donc une saison préparatoire en vue d'un prochain spectacle au Palais des Sports, un show à l'américaine from Paris pour lequel il faut tout penser.

Après " Salma Ya Salama ", Dalida enregistre toujours avec le compositeur Jeff Barnel " Helwa Ya Baladi ". Le Moyen Orient se l'approprie. Désormais tous les succès de Dalida sont traduits et se vendent à des millions d'exemplaires à travers le monde.

La mélodie disco devient une vraie révolution, une sacrée ambiance, elle déclenche l'enthousiasme. Avec l'accord d'Orlando, Toto Cutugno décide alors de composer une chanson intitulée " Monday Tuesday " dont les paroles, écrites par Pierre Delanoë, seront chantées en français par Dalida tandis qu'un chœur masculin lui répondra en anglais — elle est entourée de boys qui dansent avec elle dans cet univers de rêve — .

" Monday Tuesday " devient le tube de l'été 1979. A quarante-six ans, Dalida reste plus que jamais une idole pour les jeunes.

UN PALAIS POUR UNE REINE

Le Palais des Sports accueille pour la première fois Dalida, le 4 janvier 1980. Cinq mille places à remplir tous les soirs ! Dalida changera douze fois de tenue au cours de dix-huit représentations dans une salle toujours comble. Une Dalida qui bouge formidablement bien. L'Amérique l'a confrontée à la prédominance visuelle et la petite scène de l'Olympia ne peut répondre à ce désir d'une nouvelle liberté de mouvement. Le célèbre chorégraphe de *La fièvre du samedi soir*, Lester Wilson, est le maître d'œuvre du Show Dalida. La presse est de son côté et le public, quant à lui, est séduit comme jamais il ne l'a été : Il n'avait encore pas vu une Dalida " déchaînée " à ce point laissant " Gigi in Paradisco " prendre la place de " Gigi l'Amoroso " entouré d'autres titres comme " Alabama Song ", " Money Money ", " Je suis toutes les femmes " etc. qui viennent enrichir harmonieusement un programme sans faille. Décidément le disco offre toutes les libertés... Une troisième Dalida apparaît maintenant qui enregistre toutes ses chansons en huit langues et se maintient toujours dans les hit-parades et les discothèques.

Le 30 janvier, Dalida et Jerry Lewis participent à un gala au profit de l'UNICEF : on reconnaît bien là l'altruisme et la générosité de ces deux grandes stars.

Dalida poursuit son année par une tournée dans toute la France : elle présente le show du Palais des Sports. Mais n'est-ce pas un nouveau refuge pour elle ? Intervient bientôt la rupture avec Richard Chanfray après huit années de vie commune ponctuées de désaccords. Un jour, à deux questions sur ce que signifie pour elle l'amour et sur ce qu'elle pense de la solitude, Dalida répondra ce qui suit : " J'ai surtout besoin d'aimer, c'est très important l'amour, d'être aimée ce n'est pas grave, j'ai besoin de comprendre et d'aimer ça c'est très important. Pour moi, je pense qu'il doit exister, il existe certainement, un amour avec la lettre majuscule… Je crois que si vraiment on aime, on a réalisé en soi l'amour mais alors là c'est l'amour divin, mais on ne peut pas ne pas aimer ! C'est difficile de parler de ces choses-là parce que c'est tellement au fond fond fond de nous-mêmes que parfois, une expérience vécue, on ne peut pas la traduire avec les mots […] J'étais quelqu'un de solitaire, je l'ai toujours été depuis enfant, c'est peut-être mon signe, je suis capricorne et les capricorniens ils sont très solitaires mais je pense, que même si les gens par leur naissance ou par leur signe ne sont pas solitaires, la solitude à un certain moment est nécessaire de temps en temps, c'est nécessaire absolument de rester seul avec soi-même. Je suis restée trois ans chez moi, dans ma maison, je ne suis sortie que pour travailler et pendant ces trois ans j'ai essayé de me comprendre, de me connaître, de savoir qui j'étais et je me suis intéressée à tous ces problèmes que l'on appelle de métaphysique. Pas besoin d'être solitaire, on a un jardin qui est très secret en nous mais c'est quand on est centré en soi-même c'est ça le plus important. Vous savez l'important ce n'est pas que les gens croient ou pas, l'important c'est nous. "

DÉRAPAGE INCONTRÔLÉ

1981, une année politiquement correcte aux yeux de Dalida, mais aussi une année de flottement car les mauvaises surprises ne tarderont pas à entacher une carrière d'un quart de siècle.

Dalida reprend son répertoire de chansons " plus classiques " et crée, en hommage à Jacques Brel, " Il pleut sur Bruxelles ", un très beau texte écrit par Pierre Delanoë, qu'elle interprète lors de son Olympia au printemps où elle fêtera ses vingt-cinq ans de carrière. C'est là que Dalida reçoit, des mains de Michel Drucker, le premier disque de diamant jamais remis à une vedette : quatre-vingt-cinq millions de disques vendus dans le monde dont trente-huit disques d'or interprétés en sept langues.

Depuis une dizaine d'années, Dalida et François Mitterrand sont amis. La rencontre s'était faite par l'intermédiaire d'un ami commun : Gaston Deferre. Le 10 mai 1981, lorsque François Mitterrand est élu Président de la République, Dalida est extrêmement heureuse pour lui, mais elle devient la cible d'une presse destructrice. La gauche a fait de Dalida son égérie et cela porte préjudice à l'artiste qui devra, petit à petit, essayer de se dégager de cette pression. Son public n'est pas ce que l'on peut appeler partagé, cependant, dans les familles il y a eu les pour et les contre. Le vote des fans a peut-être pesé dans la balance, lors des présidentielles, mais ce n'est pas ce que voulait Dalida, elle n'a toujours fait que chercher un accord avec elle-même. Très affectée elle décide de prendre une année sabbatique en programmant un tour du monde et pourquoi pas des vacances à Beverly Hills !

Des galas l'attendent en Allemagne, en Amérique du Sud, en Espagne, en Arabie, en Pologne... Et pour tout ce qui concerne la France, son pays d'adoption, voilà ce qu'elle dira par la suite, notamment, au cours de l'émission télévisée du " Jeu de la Vérité " : " Alors voilà, en 1981, j'ai voté pour un homme que j'aime beaucoup, un homme qui a une grande valeur et qui est un bon président ; j'ai voté pour François Mitterrand et pour moi, il était avant tout un ami ; j'ai voté pour l'ami, j'ai voté pour l'homme mais pas pour un parti politique ! C'est très important ! Et je dois dire qu'en 1981, j'ai cru que le ciel me tombait sur la tête !... car des gens malintentionnés ont essayé de monter une cabale contre moi, ils ont essayé de boycotter mon travail, de diviser mon public et cela m'a fait beaucoup de peine. Alors volontairement, pendant un an, je me suis retirée de la scène publique, je me suis effacée, j'ai disparu des écrans de télévision et de la scène. Parce que moi qui avais commencé en 1955, moi qui avais vingt-cinq ans de carrière derrière moi, je ne voulais pas que les gens disent que j'étais soutenue par le Gouvernement. Je n'avais pas besoin de cela ! "

Dans les intentions de Dalida, tout était clair et pur comme d'habitude. Jamais elle n'aurait pu imaginer qu'on puisse, d'un côté comme de l'autre, tenter de la récupérer ainsi...

Malgré l'action conjuguée de groupes de pression et d'une partie de la presse, l'image de l'artiste reste intacte auprès du public, en France, comme à l'étranger. D'ailleurs, Dalida se voit décerner le " Goldene Europa " qui récompense, en Allemagne, la vedette la plus populaire de l'année.

Dalida, enfant, jouait au football avec ses frères et ses camarades. C'est donc avec joie qu'elle accepte de se voir désignée comme marraine de l'Équipe de France en vue du Mundial 82 qui se déroulera en Espagne. Elle prend donc " la balle au bond " et c'est au bras de Michel Platini qu'elle fera son entrée au stade. D'une pierre deux coups, elle enregistre " La chanson du Mundial " écrite en grande partie pour les paroles et la musique par Orlando : " Allez les bleus, pour gagner le Mundial 82 ". Mais c'est en 1998 que notre coq chantera la victoire haut et fort et en 2000 pour la coupe d'Europe. Malheureusement notre Dali ne sera plus là pour vivre ces victoires, faites d'une fraternité incroyable qui lui aurait fait chaud au cœur…

Une certaine presse poursuit ses moqueries au sujet du football. Qu'importe, le musée Grévin a immortalisé Dalida, grandeur nature, parmi d'illustres personnages d'hier et d'aujourd'hui.

Paris Match a réalisé un sondage, d'où il ressort que parmi toutes les femmes ayant exercé le plus d'influence sur les Français en 1981, c'est Dalida qui vient en tête pour le métier du show business. De quoi en déranger certains, bien sûr…

SIGNAUX D'ALARME

La fatigue s'est installée, en catimini, tout au long de ces trente années de travail. Dalida a déjà tout donné quand une autre tragédie vient la frapper de nouveau, comme un mauvais scénario. Elle apprend le suicide de Richard Chanfray, trois ans après leur séparation. Lucien, Luigi, Richard, la liste est décidément trop longue…

Les années 1980 offrent une époque en pleine mutation qu'il faut affronter. Le public n'est plus le même, le métier non plus, la chanson change de visage au fil du temps, le paysage audiovisuel réduit ses émissions de variétés si nombreuses. Que se passe-t-il ? Dalida chante en 1983 "Bravo, donnez-moi des bravos" … comme un appel au secours. Les souvenirs de ses drames vécus ressurgissent en elle. Dalida atteint aussi un âge où l'on fait le point sur sa vie. Son public a froid dans le dos en entendant la chanson " Mourir sur scène ", extraite de son dernier album. Sans le savoir, Michel Jouveaux et Jeff Barnel viennent d'écrire une chanson-testament…

L'année suivante Dalida chante une adaptation de la chanson de Stevie Wonder " I just called to say " (" Pour te dire je t'aime ").

Les années 1983-1984 marquent le développement des radios locales, une véritable aubaine sur le plan culturel et l'ouverture à toutes les tendances grâce à ce support d'une liberté que certaines Autorités n'entendent pas ainsi.

Aussi, à la fin de l'année 1984, une manifestation rassemble plus de trois-cent mille auditeurs venus soutenir les radios locales menacées. A commencer par NRJ. Mais pourquoi le sont-elles, est-ce le résultat d'une lutte de pouvoir, d'un combat de chefs ? Un recul net est donc à l'ordre du jour et quoi qu'il en soit, Dalida s'associe pour un prestigieux combat, celui de la liberté de la communication. Dalida reste une battante. A cet égard, juchée sur le camion de la station mise en cause, en compagnie de Jean-Luc Lahaye, elle devient indirectement la marraine du cortège en prenant, en quelque sorte, la tête des manifestants qui scandent NRJ vivra. La lutte est gagnée, NRJ reste et est encore aujourd'hui la radio phare des jeunes.

Charles Trenet qui apprécie Dalida lui écrit " Le visage de l'amour ", en référence à une expression qui avait été employée par la chanteuse, lors d'une émission de radio et qui a frappé le Père de la chanson française.

Lorsque Télé 7 Jours organise un référendum pour désigner la chanteuse préférée des Français, Dalida arrive en seconde position derrière Mireille Mathieu et devant Jeanne Mas.

Et puis c'est au tour de Dalida de participer à l'émission de Patrick Sabatier " Le Jeu de la Vérité " qui a une immense audience et que les artistes redoutent comme une épreuve. Dali passe " l'examen " avec brio, elle dit sa vérité avec la plus grande franchise, devançant même les questions cruciales pour mieux y répondre.

Un espoir pour Dalida se profile, celui du 7e Art qu'elle était venue chercher à Paris à ses débuts, et c'est sa terre natale qui lui fait signe par l'intermédiaire de son ami de longue date, Youssef Chahine, qu'elle appelle familièrement Joe. Celui-ci lui offre le rôle principal dans un film qui se révélera marquant, sinon pour le grand public, du moins pour Dalida elle-même… C'est un rêve qui se réalise et une aventure qu'elle n'attendait plus.

LA TRANSITION YOLANDA-SADDIKA

Trente ans après ses débuts, Dalida revient au cinéma : elle est l'actrice principale choisie par Youssef Chahine pour *Le Sixième Jour* inspiré du roman de l'admirable Andrée Chedid. Dalida devient Saddika, une jeune grand-mère, séduisante et forte, qui veut conduire son petit-fils, atteint du choléra, voir la mer qu'il n'a jamais vue, sur une chaloupe longeant les rives du Nil.

Lors d'une interview réalisée par Frédéric Mitterrand, Dalida dira de son rôle : " C'est formidable parce que je suis vraiment dans le personnage, j'ai presque perdu mon identité, c'est vrai que les cheveux pour moi c'est quelque chose d'important, les mains tout ça, on m'a coupé les ongles, il n'y a pas un cheveu qui dépasse mais c'est formidable parce que je vis une histoire, je la sens en moi et je vis quelque chose de différent, une femme différente, j'ai perdu mon identité, je ne sais plus qui c'est maintenant Dalida ! "

Tout le drame réside dans cette dernière phrase, Yolanda a bel et bien " tué " Dalida. Le film achevé, elle rentre à la maison mais ne se reconnaît plus, elle est trop perturbée, trop de choses se bousculent en même temps dans sa tête, ce film n'a t-il pas été le révélateur de sa souffrance ?

En septembre 1986, elle revient en Égypte pour assister à la première du *Sixième Jour* donnée en son honneur à Choubrah, le 29. La maison natale est toujours là, Dalida a joué en langue arabe, elle appartient au pays d'Égypte, un ultime retour aux sources. La boucle est bouclée.

Trois mois après la première triomphale du film, *Le Sixième Jour* sort en France le 3 décembre. Mais il est à peine diffusé dans les salles des cinémas parisiens. C'est un " bouche-à-oreille " très favorable pour Dalida qui permet de connaître les salles, où il est parfois projeté uniquement dans sa version d'origine, sous-titrée en français. Le succès, auquel Dalida aurait aimé se confondre, n'est pas au rendez-vous. Malgré tout, la presse et les critiques sont élogieux, pour reconnaître la véritable et grandiose dimension de la comédienne dramatique. Parmi la profession du cinéma, pour qui le film a laissé une impression exceptionnelle et forte, on peut citer les critiques : Charles Tesson, les " Cahiers du Cinéma ", juillet 1986 ; J.-P. Peroncel-Hugoz, " le Monde ", octobre 1986 ; Serge Toubiana, "les Cahiers du Cinéma", décembre 1986 ; Michel Pérez, "le Matin", 3 décembre 1986 ; Gilles Le Morvan, "l'Humanité", 3 décembre 1986 ; Pierre Léon et Olivier Seguret, " Libération ", 3 décembre 1986…

Depuis le début du printemps, Montmartre ne voit plus Dalida. Comme Marlène Dietrich, elle vit recluse dans sa maison, les volets de sa chambre restent fermés. Elle ne veut plus voir d'amis ; ses nuits d'insomnie sont brûlées à lire ou à regarder la télévision, ses deux seuls repères, ses deux seuls refuges. Malgré le confort matériel, il manque à Dalida quelque chose d'essentiel… Et comme l'a si bien dit Line Renaud : " Je crois pouvoir dire, par expérience, que ce qui manquait à Dalida, c'est de faire la route à deux parce que le chemin est dur. " Dali vend sa voiture et modifie son testament, mais qui sait tout ça ? Personne. Bonne comédienne, elle met sa vie en scène et là ce n'est plus du cinéma, tout ce qu'elle fait est discret et sûr.

Pourtant, en mars 1987, un regain d'intérêt pour le monde extérieur la fait sortir de son isolement. Elle participe à la soirée des Césars, car elle se sent solidaire de la corporation des acteurs… pour toujours aller jusqu'au bout du travail confié. Ce sera son dernier cliché grand public.

Dalida projette même de répondre à des invitations, ainsi elle accepte de se rendre au vernissage d'un artiste peintre, un ami commun à d'autres de ses amis, rencontré chez eux. Il est italien et habite par bonheur à Paris. C'est une belle rencontre. Dalida apprécie. Elle a vraiment envie de sortir de cette impasse morale et pense qu'un séjour à Quiberon, en thalassothérapie, pourrait l'aider. Elle part donc du 11 au 18 avril. Elle fait des rencontres et invite plusieurs célébrités à la revoir dès son retour à Paris. L'aspect positif semble reprendre le dessus. Elle se sent bien dans son corps, mais qu'en est-il ses amours qui semblent vaciller ? Elle n'est pas tout à fait seule dans la vie, mais elle vit un désert sentimental, car la personne aimée n'est pas " disponible ". Dalida aura pourtant tout essayé pour briser le mur de la solitude.

Dalida s'apprête à enregistrer un nouveau disque que doit lui écrire Jacques Morali : elle se rend donc à Neuilly le 24 avril pour organiser le travail. Puis le 29 avril, elle doit aller chanter à Antalya en présence du Président de la Turquie.

La sonorisation et tout le matériel technique seront expédiés théoriquement le 27 et Dalida partira ensuite, accompagnée par Roland Ribet, son impresario et Jacqueline, son habilleuse.

Un des techniciens, chargé d'acheminer le matériel, ne s'est pas réveillé et Dalida s'aperçoit, effrayée, que les malles et les costumes ne sont toujours pas partis.

A son arrivée à Antalya, elle est accueillie par Erkann Ozerman, célèbre imprésario et ami, lequel, très vite s'aperçoit que quelque chose ne va pas. Dalida semble très nerveuse et surtout contrariée. Monsieur Ozerman ayant été immédiatement informé du problème, se met " en quatre " pour trouver une solution et parvient à affréter un avion militaire. Mais les caisses, trop volumineuses, ne rentrent pas, il ne reste plus qu'une solution : mettre les robes et les costumes dans des sacs poubelle.

Dalida assurera les répétitions avec un matériel technique incomplet, le montage n'étant pas terminé. Soudain, elle s'aperçoit que ses robes sont placées dans les fameux sacs, elle hurle : " Quoi des sacs poubelle ! " De plus il fait froid, elle a mal dormi dans des draps humides.

Puis vient l'heure du gala. Comme à son habitude, Dalida se cloître dans sa loge. La salle est pleine, le Président de la République turque est déjà là, on le lui fait savoir mais elle fait répondre qu'ils attendront tous. Dalida arrive enfin, toujours parfaite et le Président est heureux d'avoir patienté car c'est encore un spectacle d'une grande qualité que l'artiste française vient d'offrir au peuple turc.

Dalida de retour à Paris ce 30 avril, arrive fatiguée, elle " rumine " encore cette histoire de robes dans les sacs poubelle et dira même à sa cousine Rosy : " Tout ça, j'en ai marre " et " J'en ai par-dessus la tête de ce métier. Je veux arrêter. "

AU REVOIR ET À TOUJOURS DALIDA

Le 1er mai, tandis que le muguet joue son rôle porte-bonheur, Dalida, essaie de faire le point. Le samedi 2 mai, elle donne congé à son personnel ainsi qu'à Jacqueline son habilleuse et amie en prétextant une sortie au théâtre Mogador, avec son impresario Roland Ribet (son compagnon s'étant quant à lui décommandé) pour la représentation de " Cabaret ", le spectacle de Jérôme Savary. Elle demande qu'on ne la réveille pas avant dix-sept heures le lendemain. Mais Dalida s'est décommandée elle aussi, auprès de Roland Ribet, invoquant la fatigue après l'épisode d'Antalya. Le moteur de la petite Austin a laissé croire à Jacqueline que Dali est bien partie mais en réalité, elle n'a fait que le tour du quartier, remontant par la rue Lepic où elle s'arrête devant le bistro La Divette, pour déposer une enveloppe dans la boîte aux lettres fixée à l'angle de la rue Lepic et de la rue d'Orchampt.

Dans la grande maison blanche, le silence est trop lourd, Dali monte dans sa chambre, se démaquille et se met une tenue de nuit en satin blanc, avec toujours ce souci de perfection…

Mai 1987, le 3, Yolanda, Christina Gigliotti dite Dalida en a fini avec la vie. Avant d'avaler les somnifères, elle a laissé un mot bref mais qui en dit bien trop long : " La vie m'est insupportable, pardonnez-moi. " Mais Dali n'a pas à demander pardon ! Si elle a devancé l'appel, nul n'a le droit de la juger et si on se réfère à l'écrivain américain, Jack London, on peut comprendre, sans pour autant recommander le geste, cette réflexion de l'auteur : " La fonction propre de l'homme est de vivre, non d'exister. Je ne gâcherai pas mes jours à tenter de prolonger ma vie. Je veux brûler tout mon temps. " Était-ce cela ? Mais concernant Dalida, concernant chaque vie interrompue volontairement, on est en droit de dire, quand même, quel gâchis ! Pourtant au " Jeu de la Vérité " elle avait ajouté en insistant : " Je ne conseille à personne de se suicider, c'est quelque chose de très grave. Non ! Il faut aimer la vie. Il faut vivre… "

Dalida vient de jouer, pour elle seule son rôle le plus tragique. Pourtant elle avait déclaré un jour : " J'attends une vie harmonieuse, une sérénité, une paix c'est tout !" Et au début de sa carrière, elle prononça un jour ces mots : " Je ne pense pas que Dalida a une histoire, il faudrait bien qu'un jour j'en invente une " et c'est cela ! Elle ne sera pas Cléopâtre pour Vittorio Rossi, l'opéra-rock qu'elle devait chanter et jouer dans une grande salle, tout est déprogrammé. Elle sera Dalida pour l'éternité.

Place Dalida, Paris XVIIIe, au carrefour de l'allée des Brouillards et de la rue de l'Abreuvoir, il y a, fixé sur son socle de granit, un buste de Dalida. Devant ce portrait de bronze passent chaque jour des pèlerins, un pincement au cœur.

Désormais Dalida est entrée dans la légende…

" Le cœur vit enfermé. De là viennent ses sombres élans et ses grands désespoirs ; toujours prêt à fournir ses richesses, il est à la merci de son enveloppe. "

Jean Cocteau

***

Jusqu'en deux mille

Au bout de cette impasse
Il y a le temps qui passe
Mais surtout votre absence

Je m'arrête : silence !
Là, votre maison blanche
Elle était vos dimanches

J'aime cet endroit
Aujourd'hui, il fait froid

Moulin de la Galette
Les touristes font la fête
Et dans la rue Lepic
Les graffitis indiquent
Cette désespérance
Masquée d'indifférence

Place du Tertre, sur les toiles
Les peintres figent et dévoilent
Des visages du monde entier
Ici, rien n'a vraiment changé...

Montmartre des poètes oubliés
Aux âmes emportées
Une voix venue du Nil
Nous emmène jusqu'en deux mille...

L'Olympia se rappelle

Pour son dernier voyage
Pas besoin de bagage
Sur une table de nuit
Un peu après minuit
Un petit mot d'adieu
Un pardon au Bon Dieu

Elle a préféré le silence
Au printemps en naissance
Un dimanche de mai
Pour dormir à jamais
Et partir en secret…

Êtes-vous sur le blanc boulevard ?
Idole aux yeux brouillard…
L'Olympia se rappelle
Combien vous étiez belle !

Pour être en harmonie
Pas l'ombre d'un souci
Sur des amours perdus
Un de moins ou de plus
Un reste de tendresse
Un corps de déesse

Elle a préféré le silence
Au printemps en naissance
Un dimanche de mai
Pour dormir à jamais
Et cacher ses secrets…

Êtes-vous sur le blanc boulevard ?
Idole au yeux brouillard…
L'Olympia se rappelle
Combien vous étiez belle !

L'Olympia !
Rappels, rappels, rappels…

Chronologie

1933-1987

1933 — Naissance de Yolanda, Christina Gigliotti, le 17 janvier au Caire.

1945 — Décès de Pietro Gigliotti, son père.

1950 — Élue Miss Ondine.

1954 — Élue Miss Égypte. Doublure de Rita Hayworth dans Joseph et ses Frères, avec Omar Sharif. Tourne le Masque de Toutankhamon de Marc de Gastyne avec Gil Vidal et Un verre, une cigarette (Sigara wa kass) de Niazi Mustapha. Arrive à Paris le 24 décembre, s'installe dans une chambre d'hôtel rue de Ponthieu.

1955 — Déménage pour un meublé situé rue Jean Mermoz, elle a pour voisin de palier Alain Delon. Premier contrat d'engagement à la Villa d'Este avec Étrangère au paradis.

1956 — Participe à l'audition " Les Numéros 1 de demain ", première rencontre avec Bruno Coquatrix, Eddie Barclay et Lucien Morisse. Enregistrement du premier 45 tours avec Madona (adaptation française de " Barco Negro " d'Amalia Rodriguez) sous le label Barclay en août. Enregistrement de " Bambino ", lancement d'Europe N° 1.

1957 — Premier Olympia en complément de programme de Charles Aznavour, avec quatre chansons dont " Bambino ", en mars. Nouvel Olympia en partie " américaine " de Gilbert Bécaud, avec " Gondolier ", en septembre. Tournage de Brigade des mœurs avec Eddie Barclay et Fernand Sardou.

1958 — 500 000 disques vendus avec " Bambino " et " Gondolier ". Tourne dans Rapt au deuxième bureau de Jean Stelli, avec Franck Villard. Récital au Caire. Premier Bobino en vedette avec " Come prima ", en octobre. Reçoit les " Bravos du music-hall " avec Yves Montand pour sept millions de disques vendus.

1959 — Annonce de ses fiançailles avec Lucien Morisse par la presse. Chante à Madrid et en Allemagne. Obtient l'Oscar de la chanson 1959, avec Tino Rossi.

1960 — S'installe avec Lucien Morisse dans un duplex, rue d'Ankara. Reçoit l'Oscar de Radio Monte-Carlo, décerné à la " vedette préférée des auditeurs ", ainsi que le Grand Prix de la chanson italienne au Festival de San Remo avec " Romantica ". Tourne dans Parlez-moi d'amour de Giorgio Simonelli, avec Jacques Sernas et Raymond Bussières. Enregistre Les Enfants du Pirée.

1961 — Mariage avec Lucien Morisse, à la Mairie du XVIe arrondissement de Paris, le 8 avril. Rencontre Jean Sobieski à Cannes, en juillet. Quitte Lucien Morisse et habite Neuilly-sur-Seine. Olympia avec Richard Anthony en première partie, le 6 décembre. Obtient l'Oscar de la chanson 1961 (devant Gloria Lasso et Édith Piaf), avec Charles Aznavour.

1962 — Nommée citoyenne d'honneur du village d'origine de sa famille, Serrastretta, en Calabre. Voyage à

Saïgon avec Jean Sobieski. Chante au Vietnam puis à Montréal. Enregistre " Le Petit Gonzalès ". Le divorce avec Lucien Morisse est prononcé. S'installe dans un hôtel particulier de Montmartre, rue d'Orchampt. Obtient l'Oscar de Radio Monte-Carlo, avec Johnny Hallyday.

1963 — Obtient l'Oscar mondial du succès du disque. Tournage en Extrême-Orient de L'Inconnue de Hong Kong de Jacques Poitrenaud, avec Philippe Nicaud et Serge Gainsbourg. Rupture avec Jean Sobieski.

1964 — Disque de platine pour 10 millions de disques vendus, première vedette féminine à le recevoir. Suit le Tour de France (gagné par Jacques Anquetil), 2 025 chansons interprétées sur 29 300 km. Olympia avec Claude Nougaro en première partie.

1965 — Sondage IFOP — chanteuse préférée des Français. Tourne dans Ménage à l'italienne, avec Ugo Tognazzi, musique d'Ennio Morricone. Enregistre " Zorba le Grec ".

1966 — Chante à Casablanca avec Richard Anthony. Rencontre avec Luigi Tenco en octobre. Obtient les " Bravos du music-hall ", avec Adamo.

1967 — Festival de la chanson de San Remo le 25 janvier, marraine de Luigi Tenco qui présente " Cia amore, ciao ". Suicide de Luigi Tenco à San Remo. Chante " Cia amore, ciao " au Palmarès des chansons le 7 février, présenté par Guy Lux. Tente de se suicider le 26 février. Naissance, en mars de Luigi, fils de son frère aîné. Le 8 juin, participe au Palmarès des chansons avec " Les grilles de ma maison " et " Cia amore, ciao ". Reçoit en Italie " la Caravelle d'Or " pour " Bang-bang ". Olympia avec Michel Polnareff en première partie, le 5 octobre, chante " Loin dans le temps ", de Luigi Tenco.

1968 — Tourne Moi, je t'aime (Io, ti amo) en Italie, de Antonio Margheriti avec Alberto Lupo. Reçoit l'Oscar italien " Canzonissima ". Obtient en juin la Croix de Vermeil de commandeur des Arts, Sciences et des Lettres. Tournées au Brésil, en Argentine, et séries de galas au Canada, aux Antilles puis au Japon. Le 17 novembre, élue marraine des Poulbots de Montmartre. Reçoit la médaille de la Ville de Paris et le 5 décembre, la médaille de la Présidence de la République remise par le Général de Gaulle dans les salons de l'Hôtel de Ville.

1969 — Reçoit le Prix Italien au MIDEM, avec Maurice Chevalier et Mireille Mathieu pour la plus grosse vente de disques. En mai, série de galas à Dakar et Abidjan.

1970 — Voyage au Népal en janvier, séjour dans un ashram pour étudier la religion hindoue. Darla Dirladada, 75 000 disques vendus en une semaine. Suicide de Lucien Morisse, le 11 septembre. Oscar de Radio Luxembourg, le 28 octobre.

1971 — Décès de Giuseppina Gigliotti, sa mère, le 18 septembre. Chante " Avec le temps " de Léo Ferré, le 29 septembre en direct à l'émission " L'invitée du Dimanche ". Olympia le 23 novembre, avec la chanson " Avec le temps ". Série de récitals au Picadilly à Beyrouth.

1972 — Fait la connaissance de Richard Chanfray, alias le Comte de Saint-Germain, le 21 octobre. Enregistre " Le Parrain " qui lui vaut un nouveau disque d'or. Reçoit avec Joe Dassin l'Oscar de la popularité.

1973 — Chante à Beyrouth, en janvier. Enregistre avec Alain Delon " Paroles, paroles " numéro 1 au Japon et " Il venait d'avoir dix-huit ans " de Pascal Sevran vendus à 3 millions d'exemplaires. Chante " Je suis malade " de Serge Lama. Reçoit avec Tino Rossi le Prix Triomphe lors de la Nuit du Cinéma.

1974 — Olympia, avec " Il venait d'avoir dix-huit ans " et " Gigi l'amoroso " avec Hervé Vilard en première partie, le 15 janvier. Reçoit l'Oscar mondial du succès du disque pour " Gigi l'amoroso ", numéro 1 dans 12 pays et adapté en japonais. Reçoit 8 Oscars au cours d'un Musicorama spécial Olympia, dont un disque d'or pour l'Allemagne, un disque de platine pour le Benelux, un " Gigi d'or " et un " Cœur d'or " pour la vedette la plus populaire en Espagne.

1975 — Enregistre Et de l'amour… de l'amour… avec Richard Saint-Germain, en février. Reçoit le prix de l'Académie du disque pour " Il venait d'avoir dix-huit ans " (numéro 1 dans 9 pays), remis à l'Hôtel de Ville de Paris, le 12 février. Tournée au Québec en octobre et novembre, où un sondage la nomme " la personne la plus populaire " après Elvis Presley et " la femme de l'année " devant Jackie Kennedy. Enregistre " J'attendrai ", créée par Rina Ketty, numéro 1 des hit-parades de vente de disques.

1976 — En tête du hit-parade des 45 tours, avec Jean Ferrat pour les 33 tours, en février. Chante " Je suis amoureuse de la vie ", créée pour elle par Gilbert Bécaud et " Quand on n'a que l'amour " de Jacques Brel. Le 18 juin, arrestation de Richard Chanfray. Voyage en Égypte, pour le tournage d'un film dans la maison natale, à Choubrah. En décembre, trois récitals à Prague.

1977 — Olympia suivi d'une série de récitals au Canada en février. Tournée au Liban en juillet. Tournage de Comme sur des roulettes, une comédie musicale de Nina Companeez, avec Guy Lux et Michel Drucker. Tournage du film de Michel Dumoulin Dalida pour toujours, produit par Orlando pour la télévision française.

1978 — Série de récitals, à Prague, en janvier. Remise par Michel Drucker d'un disque d'or pour Génération 78 au cours de l'émission " La Grande Parade " à RTL, le 10 juillet. Série de galas en Jordanie, avec " Salma ya Salama ", chantée en langue arabe. Carnegie Hall de New York, le 29 novembre. Deux séries de galas au Canada en décembre.

1979 — Reprise définitive de " Quand on n'a que l'amour " à son répertoire. Olympia. Répétitions et préparation du show pour le Palais des Sports.

1980 — Show du Palais des Sports du 5 au 20 janvier, monté par Lester Wilson. Gala au Moulin Rouge avec Jerry Lewis, en faveur de l'UNICEF, le 30 janvier. Tournée dans toute la France avec le show du Palais des Sports. Rupture avec Richard Chanfray.

1981 — Olympia pour fêter ses 25 ans de carrière couronnés par un disque de diamant remis par Michel Drucker pour 85 millions de disques vendus dans le monde et 38 disques d'or interprétés en 7 langues. Reçoit le Goldene Europa décerné en Allemagne, pour la vedette la plus populaire de l'année.

1982 — Enregistre la chanson du Mundial. Sondage Paris-Match sur les femmes qui ont exercé le plus d'influence sur les Français en 1981, seule femme du show-business classée après Simone Weil et Édith Cresson.

1983 — Suicide de Richard Chanfray alias le Comte de Saint-Germain, en juillet.

1984 — Reçoit en Belgique la médaille d'honneur décernée par la ville de Bruxelles. Refuse la récompense suprême : la Légion d'honneur.

1985 — Chante " Le visage de l'amour ", créée pour elle par Charles Trenet. Sondage Télé 7 Jours : " deuxième chanteuse préférée des Français ".

1986 — Sondage VSD, en janvier " chanteuse préférée des Français après Mireille Mathieu et France Gall ". Participe au " Jeu de la vérité " de Patrick Sabatier. La Turquie lui remet le Papillon d'or, grand prix de la popularité des artistes convoités dans les pays méditerranéens. Tournage en Égypte du film de Youssef Chahine, d'après le roman d'Andrée Chedid Le Sixième Jour.

1987 — Disparition tragique de Dalida, le 3 mai.

***

Nota : D'autres médailles ont été remises à Dalida, mais dont l'importance est moindre.
Dalida reste, à ce jour, l'artiste la plus récompensée du show-business.

Remerciements

à

ORLANDO

pour ses réponses à mes questions à la réunion au
FIAP — Paris

Thierry SAVONA

pour son amicale participation et son site internet

et à

L'ASSOCIATION DALIDA
31, rue du 8 mai 1945
76700 GONFREVILLE-L'ORCHER

pour son soutien amical et son aide en documentation.

Table des matières

Achevé d'imprimer en France
Protection IDDN